Más Allá del **Espejo**

Rosangélica Medina Barroeta

DERECHOS DE AUTOR
MÁS ALLÁ DEL ESPEJO

Editorial PanHouse
www.editorialpanhouse.com

Edición general:
Jonathan Somoza
Gerencia editorial:
Gabriela Moros
Edición de contenido:
Ana Sofía Amato Díaz
Corrección ortotipográfica:
Rosa Raydán/Francis Machado
Diseño de portada:
Guiseppe Pino Trotta
Diagramación:
Audra Ramones
ISBN: 9789807868143

DEDICATORIA

A todos los que hoy sufren en silencio
por causa de un reflejo distorcionado

CONTENIDO

AGRADECIMIENTOS

Primeramente agradezco a Dios por enseñarme lo que es el verdadero amor, le agradezco por darme

la bendición de levantarme cada mañana y respirar. Gracias Señor por salvarme y darme otra oportunidad de vivir; sin Él no estaría aquí, Él es el amor de mi vida.

A mi amado Cesar, mi prometido; gracias por confiar en mí y por estar siempre. Gracias por no dejarme caer. Agradezco a Dios por ponerte en mi camino; este viaje ha sido más bonito a tu lado. Quiero caminar junto a ti por el resto de mi vida. ¡Te amo Cesar Augusto!

A Isabella y Alaia, mis dos tesoros... gracias por ser mi motor e impulsarme cuando no tengo fuerzas. Ustedes son lo más importante que tengo para vivir, son lo que siempre soñé y el milagro más hermoso de Dios. Las amo con todas las fuerzas de mi corazón.

Gracias a mis padres, por su gran amor, por sus sacrificios, por ensenarme a no rendirme

y luchar por todo lo que me proponga, gracias por jamás soltarme.

A mi familia virtual un agradecimiento especial. Gracias por seguirme, por su apoyo y cariño, y sobre todo gracias

por confiar en mí, son parte de mi vida.

¡Agradezco por por cada persona que llega a mi vida, las bendigo!

Gracias.

PRÓLOGO

Este libro me hizo temblar las manos. Rosangélica nos entrega un manifiesto de valentía que se atreve a gritar lo que muchas callan, y en el silencio no hay salida.

Ya desde las primeras páginas, te sumerges en una historia íntima y conmovedora, una revelación sin temores ni tapujos, un testimonio que no tiene reparo en poner a Dios en el centro. Su autora desnuda ante nosotros lo que alguna vez no fue capaz de mostrarle a su espejo. Se descubre para darnos un ejemplo de cómo superarnos desde adentro: con el poder de la oración y la fortaleza del amor.

Cuando Rosangélica me concedió el honor de escribir este prólogo, temí asumir un compromiso de tal envergadura. No obstante, en los largos segundos que me costó traspasar la última página -en ese homenaje que hacemos a los grandes libros antes de cerrarlos-comprendí que tenía la misión de hacer llegar este mensaje a tantas mujeres como fuera posible. Doy gracias de que lo tengas ahora en las manos.

Más allá del espejo va más allá de lo que las mujeres hemos sufrido a causa de cómo la sociedad dice que debe ser nuestro cuerpo. Es una lección para aquellas que han sucumbido a la inseguridad y la confusión; es un libro que debe llegar a quienes aún no han sido víctima de estos demonios, para que así encuentren un soporte que consolide su espíritu. También deben leerlo muchos hombres que necesitan comprender dónde reside el verdadero valor de una mujer.

Al igual que Rosangélica, soy beneficiaria de un amor que me rescató del dolor y el vacío, un amor sobre el cual reconstruí mi vida, uno que solo yo podía encontrar: un regalo que Dios había depositado en mí, y a cuya luz caminé cuando más lo necesitaba. Al cruzar su brillo, me esperaba otro amor, uno que me puso al lado de Daniel Habif, junto a quien he saboreado triunfos y tropiezos, de los que nos levantamos cada vez más unidos y firmes.

Estas casi dos décadas tomada de su mano, hincando las rodillas con él, han sido posibles, porque, antes encontré esa gema que Dios ha puesto en cada una de nosotras. Esos hombres maravillosos, como Daniel o César, aparecen ante mujeres que primero se maravillan a sí mismas.

Es por lo anterior por lo que me sentí leyendo unas hojas que me reflejaban. Además de la intimidad de los temas queconvoca y de la frescura de su lectura,*Más allá del espejo* es un tratado de valentía que sobrepasa el problema de la anorexia. Esta es una lección de liderazgo que viene de una mujer que se muestra íntegra, sin filtros y vulnerable; desde allí nos da una lección de resiliencia, un ejemplo de voluntad y una serie de herramientas para superarnos. Los alimentos que honran el templo de nuestro cuerpo, los ejercicios que lo mantienen a tono y la oración que todo lo engrandece, se hacen protagonistas en sus páginas.

Esta confesión inicia con una muchacha joven y frágil que padece hasta convertirse en la mujer llena de sí misma que todos conocemos. Se transformó de la única forma en la cual es posible lograrlo: haciéndolo desde el espíritu, desde el amor. Rosangélica es capaz de movilizarte con su verbo, porque, solo quien puede triunfar sobre su propio ser tiene los atributos para inspirar a otros. Este es el libro de una mujer que vence los miedos, los enfrenta, procura los recursos para avanzar, se educa, se apoya en sus seres amados, se llena de amor, alimenta su autoestima y recurre a Dios: vacía de sí, se colma de Él.

Me emocionó descubrir aquí que ambas nos refugiamos en la fe cuando pensamos que todas la opciones estaban perdidas, que ambas recibimos la ofrenda del amor, que ambas nos presentamos como evidencia de que dentro de ti está la chispa que hará arder tu vida, esa luz que no hallarás en lo finito y lo inmediato, sino en la inmensidad de lo eterno.

Soy cofundadora del movimiento Inquebrantables, un concepto por el cual daré mi vida. Luchamos para que las personas alcancen su máximo potencial. La carencia de autoestima, esa plaga que azota a nuestro mundo -muy especialmente en nuestros países latinoamericanos-, ha hecho más daño a la sociedad que todos los cataclismos naturales juntos. El suicidio, que muerde cada vez con mayor fiereza a nuestra juventud, es una de sus peores consecuencias. Rosangélica profundiza en este tema con afilada sinceridad. La importancia de la alimentación es uno de mis mayores intereses, una arista que es parte de mi proyecto de vida y de la que cada día aprendo algo nuevo. Me complace encontrar en estas páginas un aporte a la que también es una de mis batallas.

Este libro es un triunfo de la autoestima: el más poderoso de los estimulantes, el intensificador de sueños. En mi caso, estoy llena de una pasión incontenible por devolverles la dignidad a los animales en estado de abandono, peligro o que hayan sido víctimas de maltrato.Esa pasión ha sido el empuje que me ha llevado a atravesar autopistas para rescatar un cachorro herido, que me ha llenado de coraje para arrancarle un perro a un grupo de jóvenes que lo drogaban. Ese ardor me ha levantado sobre los muros para sacar de una casa a una mascota golpeada o enfrentarme a propietarios crueles. Eso que hierve dentro de mí, eso que me lleva a luchar en las calles y a promover en las leyes, es un triunfo del amor.

Como miembro de este movimiento insisto en hacer cosas grandes y resonantes, por eso colaboro con otros inquebrantables que han asestado sus luchas. Estamos llevando felicidad y amor a las personas de la tercera edad para borrar de sus corazones los momentos en los cuales les han hecho sentir que eran un estorbo; compartimos esperanza con los privados de libertad para que nunca vuelvan a sufrir oscuridad. Brindamos información a los jóvenes para que conozcan la inmensidad de su valor, iniciamos una cruzada para que nuestros países tengan una educación que nos permita labrar el futuro que esperamos. En todos los espacios está el amor que me hace seguir la Palabra de Dios sin intermediarios.

Desde mi experiencia de vida y de esa acción diaria que te acabo de contar, siento que este libro pertenecerá a muchas mujeres que se han reconstruido o que lo desean con fervor. No solo es una historia sobre la enfermad y su cura, del amor de pareja, o de cómo se forma una familia. Es una reflexión sobre el propósito que Dios ha reservado a las mujeres en su diseño perfecto.

Tú la conoces, sabes la clase de mujer en la cual ha devenido Rosangélica: la esposa, la madre, la empresaria, la niña sensible que un día tuvo miedo de enfrentarse al espejo y que hoy no necesita ninguno para reflejarse en la vida de millones.

Anda, pues, ya es hora de atravesar tu reflejo y leer esta historia fascinante que, como su misma autora dice, no «llega a nuestra vida por casualidad».

Anyha Ruiz de Habif

CAPÍTULO **1**

"MUNDO PERFECTO"

cayendo al abismo

Cuida tu cuerpo.
Es el único lugar que habitas.

JIM ROHN

Bienvenida al mundo de la anorexia: La historia de la princesa Ana

Un sudor frío recorrió su frente mientras se quitaba toda la ropa y se subía a la báscula. Cerró los ojos por un instante deseando que la aguja no marcara un número más alto que el día anterior. Sin embargo, al darse cuenta de lo contrario, una sonrisa de satisfacción y felicidad se dibujó en su rostro y con aquel sentimiento de victoria se bajó de la báscula y se dirigió a su habitación.

Una vez allí, aún desnuda, se miró en el gran espejo de su armario. Aquella sonrisa desapareció por completo al ver el reflejo de un cuerpo gordo y amorfo. Aterrada, comenzó a agarrarse partes de su cuerpo palpando cada centímetro de su piel. Estiraba e intentaba reducir aquella piel sobrante que le mostraba el espejo y que tanto daño le hacía. Quería deshacerse del exceso de grasa y no entendía por qué la báscula le mostraba que había adelgazado.

Lo cierto es que la imagen que le devolvía el espejo estaba distorsionada por su mente de tal manera que para ella esa imagen era la real, su verdad, la que podía tocar y sentir, aquella contra la cual luchaba todos los días para mantenerse perfecta.

Al observar su cuerpo con atención, emociones de tristeza y decepción se apoderaron de ella y, entonces, sus ojos se llenaron de lágrimas. De pronto, un remolino de luz comenzó a atraerla con fuerza hacia el espejo y, sintiendo que se desvanecía, lo atravesó.

Volviendo en sí, abrió los ojos y la vio. Quedó impresionada ante tanta belleza. Aquella princesa tenía un cuerpo tan frágil y perfecto que parecía que flotaba en el aire. El hermoso contorno, que sus delica-

dos huesos daban a su esbelta figura, no estaba mancillado por imperfectos ni por desagradables cúmulos de grasa. Ella era como una diosa.

Con una voz angelical, la princesa le dijo suavemente a aquella joven:

—Calma, calma, bella. No llores. Te mostraré lo que puedes hacer para ser más delgada y hermosa. Soy la princesa Ana y te ayudaré a cumplir tu sueño. Lo primero que te diré es que ya eres una princesa por haber llegado hasta mí. Y las princesas son hermosas y muy delgadas. Por eso, si quieres ser como yo, solo debes ejercitarte más y comer menos. Y debes empezar a hacerlo ya si quieres seguir adelgazando y ser perfecta. Recuerda que alcanzar la perfección es dura y dolorosa e implica un gran esfuerzo de tu parte. Nadie dijo que fuera fácil llegar a ser una princesa. Acuérdate de que el espejo nunca miente y las básculas se dañan.

Al escuchar sus palabras, la joven asintió con la cabeza y miró a su alrededor. Sus ojos se iluminaron al ver a otras hermosas y delgadas princesas que danzaban sobre un bello lago cristalino al son de una música celestial. Estaba extasiada. La variedad de flores y sus colores vivos, así como el intenso verde de la vegetación, la fascinaron.

—Ven conmigo y ya no sufrirás más. No tengas miedo. Estoy aquí para protegerte. Soy tu amiga y nunca te haría daño –le dijo con dulzura la princesa ofreciéndole su mano.

La joven le tomó la mano y cuando lo hizo se la sintió helada. Ana quiso soltarse, pero, la princesa apretó su mano aún más fuerte y luego sonrió maliciosamente.

De pronto, un fuerte temblor azotó ese mágico mundo y todo su hermoso colorido se tornó gris. Las esbeltas figuras se convirtieron en esqueletos danzantes. Algunas sombras oscuras se arremolinaron en el lago y comenzaron a hundirse profiriendo tormentosos alaridos. Aquella hermosa música se volvió lúgubre y tétricos lamentos envolvieron el lugar.

Aterrada, la joven se zafó de la princesa y, desesperada, trató de huir y nuevamente un remolino de luz la comenzó a atraer hacia el espejo regresándola a su mundo real.

Cena de amor

Un abrasador silencio envolvía el ambiente en aquel restaurante. A veces nos mirábamos fijamente y otras nos esquivábamos y centrábamos toda nuestra atención en el vaso de jugo o en la comida que teníamos enfrente. La verdad era que no entendía por qué me había invitado a cenar esa noche. Desde que habíamos regresado de viaje, la relación se había tornado gris, opaca. El color ya no existía en ella. Discutíamos por todo, y cada vez que nos veíamos experimentábamos el sin sabor y el dolor de las palabras punzantes e hirientes.

Finalmente, después de algunos minutos sin decir palabra alguna, él rompió el hielo que se había formado entre ambos:

—Tengo algo que decirte, Rosangélica –dijo mientras tomaba mi mano con dulzura.

—Dime. ¿Qué sucede? –pregunté con aspereza.

—Sabes que a pesar de nuestras discusiones yo te amo de verdad y eso nunca cambiará. Eres la mujer de mi vida y quiero estar contigo. Nuestra relación ha sido maravillosa y lo seguirá siendo. Te pido que dejemos todos los malos momentos atrás. Dejemos de pelear. Comencemos de nuevo, ¿sí? –expresó con una voz sincera y suave. Luego apretó más fuerte mi mano y me miró con ternura.

La expresión rígida y huraña de mi rostro cambió por completo al escuchar aquellas palabras. Mis ojos se iluminaron y se tornaron vidriosos debido a la alegría que sentí en ese momento. Hacía tiempo anhelaba escuchar esas palabras tan sinceras, tan reales, tan llenas de amor. Lo único que hice fue abrazarlo y besarlo. Y él me correspondió. Sin duda, esa cena, que había comenzado insulsa, se había convertido en una de las mejores veladas. Esa noche sentí que el amor entre los dos había renacido y que nuestra relación de nuevo se llenaba de color. Estaba muy enamorada de él.

Ruptura

Sin embargo, la felicidad que sentía se esfumó al día siguiente, cuando al final de la tarde recibí un mensaje de texto suyo. No había tenido noticias de él en todo el día, lo cual era muy raro, pues siempre me llamaba o me escribía para saber cómo estaba o cómo había estado mi día.

Así, cuando supe que el mensaje era de él, lo abrí emocionada. Pero al leerlo esa emoción se convirtió en angustia, en ansiedad, en duda. Mi mundo se vino abajo y me quedé paralizada durante unos segundos. Mi mente se volvió un caos intentando buscarle la lógica a lo que acababa de leer. No lo podía creer. ¿De qué se trataba todo eso? Mi corazón comenzó a latir a un ritmo acelerado y lágrimas empezaron a caer como cascadas de mis ojos sin detenerse ni un segundo.

"Vamos a dejar todo hasta aquí. No me llames más, no me escribas más. Necesito darme un tiempo".

—¿Qué es esto? ¡¿Qué es esto?! –me repetía una y otra vez mientras mi llanto se hacía más fuerte y mi respiración más acelerada.

Cerré la puerta de mi habitación con llave para que mis padres no me escucharan. Me agarré la cabeza desesperada intentando comprender de qué se trataba todo eso; tal vez era una broma de mal gusto. No entendía nada. Si ayer me había dicho esas palabras, ¿por qué hoy me había terminado así, sin más, tan de repente?

Comencé a llamarlo con ansias por teléfono, a enviarle mensajes, pero fue en vano. No me respondió. Entonces, cansada de tanto insistir, me acosté en mi cama. Mis lágrimas caían a borbotones. Se me hacía imposible dejar de llorar. El amor de mi vida, aquel a quien había amado profundamente, se había ido sin darme ningún tipo de explicación. Y ese sueño de construir una historia juntos y de vivir felices por siempre, de un día para otro se había esfumado.

Tormenta

Al pasar algunas semanas me encontraba en mi habitación a punto de dormirme cuando de pronto escuché gritos que provenían de la cocina. Genial. Mis padres se encontraban peleando otra vez. Ya estaba harta de ellos y de sus constantes discusiones. Por todo armaban un escándalo. Desde que mi papá había salido de la cárcel hacía unos meses atrás, en vez de volver la armonía a nuestro hogar, lo que había llegado era una tormenta que parecía no tener fin.

Para colmo, mi estado emocional era un desastre. Entre los problemas maritales de mis padres y mi reciente ruptura, la depresión y la soledad se habían apoderado de mí. Me tapé la cara con mi almohada para evitar escuchar sus reclamos y gritos, pero era inútil. Con almohada o sin almohada los escuchaba claramente. Discutían por el hecho de que mi papá quería que todo volviera a ser como antes. Mi madre le decía que eso era imposible, pues luego de cinco años nada volvería a ser igual, y él tenía que entenderlo, ya que durante todo ese tiempo que él había estado preso, ella había aprendido a ser autosuficiente e independiente y a arreglárselas sola con sus tres hijas. También le reclamaba el hecho de que él quería controlarla, mandar en la casa y hacer lo que quisiera, y eso no se lo iba a permitir, pues ella era una mujer muy fuerte y lo había demostrado cuando él había estado en la cárcel.

Y eso era muy cierto. Durante ese tiempo mi mamá se comportó como una guerrera. Aprendió a tomar las riendas y la responsabilidad del hogar y de sus hijas, a hacer un poco de todo. Siguió siendo la madre que siempre ha sido y además se convirtió en la figura del padre que no estaba en casa. Jamás desmayó. Al contrario, se mantuvo como un roble ante todo. Sé que muchas veces la tristeza la acompañaba y lloraba a solas, pero nunca se dejó vencer. Siempre la vi con la frente en alto manteniendo su fe, diciéndonos que íbamos a salir de esto. Nunca se cansó de luchar. En todo momento estuvo firme por mi papá y por nosotras, sus hijas. Siempre lo visitó a la cárcel y lo apoyó desde el otro lado de las rejas. En todo momento, estuvo allí para él.

Jamás había conocido a alguien tan fuerte como ella. La admiraba por sobre todas las cosas. Ella amaba a mi papá con locura. Sin embargo, él, militar común, no soportaba la idea de no tener todo bajo control, de sentir que mi mamá no lo necesitaba gracias a su carácter independiente, y de ver a sus pequeñas niñas convertidas en mujeres, dos de ellas dejando el nido. Pero lo cierto es que nada volvería a ser como antes y él debía aceptarlo. Ya todo había cambiado. Sin embargo, a él le costaba mucho adaptarse a los cambios. No los entendía y ello le causaba mucho dolor y lo golpeaba en lo más profundo de su alma.

A raíz de todo lo vivido durante esos cinco años, mis hermanas y yo tuvimos que madurar muy rápido. Recuerdo que mi mamá nos decía a las tres que debíamos aprender porque "el día de mañana no sabíamos qué podía pasar. Hoy estábamos arriba y mañana podíamos estar abajo". Por esa razón ella nos enseñó a ser independientes desde pequeñas, porque debíamos aprender a hacer todo por nosotras mismas, sin necesitar de nadie, tal y como ella lo hizo cuando mi papá estuvo en la cárcel. Así, a los 15 años me encontraba teniendo un carro y manejando sola hasta Los Teques para visitar a mi padre, al igual que mis hermanas.

Sin embargo, en ese momento sentía que había perdido mi independencia por completo, y que el apego había llegado para quedarse y lastimarme como quisiera. Mi mamá había tomado la decisión de divorciarse de mi papá, pues ya no lo soportaba por todas sus actitudes, sus reclamos y su terquedad. Eso realmente me afectaba, porque yo era muy apegada a los dos. Imaginarme vivir sin alguno de ellos era algo que no podía soportar. Además de eso, el hecho de que mis dos hermanas estuvieran fuera del país lo empeoraba todo, pues yo era la única que aguantaba toda la carga emocional, que acarreaba las constantes peleas entre ellos. En ese momento me arrepentía de haber tomado la decisión de quedarme en Venezuela con ellos, pues su compañía, más que hacerme feliz, me causaba mucho daño.

Mi mamá me hablaba mal de mi papá, una y otra vez me decía que se divorciaría de él; mientras que mi papá me pedía reiteradas veces que hablara con mi mamá para evitar la separación. Ante todo aquello, mi mente y mis emociones se volvieron un caos. No sabía qué hacer. Me sentía muy sola, triste y desprotegida. Sufría mucho con toda esa situación; no me gustaba ver cómo peleaban, escuchar lo que se decían y observar la manera como se miraban el uno al otro: molestos, tristes, decepcionados. Cada palabra que se decían era una cuchillada que iba directo a mi corazón y cada gesto era un golpe en mi pecho. Y es que, sin quererlo, había hecho míos sus problemas maritales.

Al poco tiempo, yo misma comencé a tener muchos problemas con mi madre, pues lo cierto es que para ella yo siempre era la culpable de todo, la que hacía todo mal, la mentirosa, la mala estudiante, quizás la peor de mis hermanas y la oveja negra de la familia. Y eso había sido así durante toda la vida, desde que yo era pequeña.

Por eso, a pesar de que mi relación con mi mamá era llevadera y éramos muy unidas, crecí con ese resentimiento hacia ella, con ese dolor a causa de su rechazo, pero nunca se lo hice saber, nunca se lo demostré; siempre me lo guardé. Aquello era una silente aversión, un dolor interno del que nadie se daba cuenta porque jamás lo expresé. Más bien siempre le demostraba amor y cariño, sin embargo, nunca dejé de ser su hija menos favorita (o eso sentía yo). Por ello, poco a poco esas emociones negativas comenzaron a hacer estragos en mí.

La decisión

Esa noche me acosté con la sensación de que mi mundo se derrumbaba. Me sentía tan triste, tan frágil e impotente.

Primero, mi relación con el hombre que creía que era el amor de mi vida se había terminado, así, sin más. Y ahora esto... Aquello era un remolino de problemas y heridas que me absorbía cada vez más. No quería que mis padres se separaran. Antes, ellos eran muy felices juntos. ¿Por qué pasaba todo esto ahora? ¿Por qué se divorciarían?

Todavía peleaban en la cocina. Escuchaba los gritos y los insultos que se proferían el uno al otro. Era horrible. Poco a poco mis ojos se llenaron de lágrimas. No quería escuchar más esa pelea, así que me tapé la cabeza con una almohada y me acurruqué. Comencé a ahondar en mis pensamientos. Debía idear algún plan para salir de aquella situación y de aquella tormenta emocional que me lastimaba tanto.

Entonces tomé una decisión. Me paré con determinación frente al gran espejo que tenía en mi habitación y me dije que saldría de todo aquello, que era una mujer fuerte y que ya nada de lo que pasara me afectaría. De pronto, todos aquellos conflictos me hicieron pensar en cambiar radicalmente el rumbo de mi vida, perder algunos kilos, eliminar los carbohidratos de mi dieta, hacer ejercicio.

Entonces, como primer paso para salir de todo aquello, me pregunté qué dieta podría hacer para aumentar músculo y no engordar. Tras investigar y leer mucho en Internet acerca de los alimentos que me ayudaran a adelgazar, decidí inventar una dieta con algunos de ellos. A partir de ahora solo comería pollo con brócoli o con ensalada y, además de eso, me ejercitaría muy temprano en las mañanas.

Me prometí que mi dieta duraría un mes. Sonreí al espejo y volví a la cama. Coloqué el despertador a las cinco de la mañana. Estaba lista para comenzar una nueva vida.

En el camino de convertirme en una "princesa Ana": El comienzo

La alarma del reloj sonó rompiendo el silencio de la madrugada. Poco a poco abrí los ojos y me senté en la cama. Miré por la ventana. Aún era de noche. Me restregué los ojos y me levanté. Era extraño despertarme cuando aún estaba todo oscuro; normalmente lo hacía cuando ya amanecía.

Me dirigí a mi armario para buscar algo de ropa y cambiarme. Tomé un *jean*, una blusa y un suéter. Salí de mi habitación silenciosamente y comencé a bajar las escaleras de puntillas, totalmente a oscuras, haciendo el menor ruido posible y tanteando la pared para no caerme. Aún mis padres dormían y no quería despertarlos. Mientras me dirigía a la puerta de la entrada mi corazón comenzó a latir fuertemente y no entendía por qué.

Abrí muy despacio la puerta y salí de mi casa. El frío que imperaba a esa hora calaba mis huesos. Me abracé a mí misma y comencé a caminar por la avenida. Todo estaba oscuro y totalmente silencioso. Solo se escuchaban los ladridos de algunos perros en la lejanía y algunas personas que salían de sus casas a sus trabajos.

La neblina cubría la ciudad y los negocios estaban cerrados. Mientras continuaba caminando observé cómo poco a poco el cielo se llenaba de una variedad de colores: naranja, amarillo, rosado. Sonreí al ver aquel hermoso espectáculo que anunciaba la llegada del alba. De pronto, las luces de la avenida comenzaron a encenderse y algunos negocios abrieron. El despertar del día indicaba que ya era hora de devolverme a casa, ya que serían alrededor de las seis de la mañana.

Al llegar, fui directamente al refrigerador y agarré una bandeja de pollo congelado. Tomé el pedazo más pequeño y lo partí por la mitad, luego lo puse en un sartén a fuego alto para que se descongelara. Tomé un poco de brócoli y unas hojitas de lechuga de la nevera y me hice una ensalada, pero no le puse ningún aderezo. Busqué un poco de mostaza y se la coloqué al pollo. Lo probé, estaba amargo, así que tomé un poco de edulcorante y la mezclé con la mostaza para que el pollo tuviera más sabor.

En ese momento escuché algunos ruidos y mi corazón se sobresaltó. Seguramente mis padres se estarían despertando. Rápidamente tomé mi comida y en silencio me dirigí a mi habitación. Le pasé la llave a la puerta y terminé de comer de manera apresurada. No quería que mis padres supieran que había comido a esa hora, y menos que se enteraran de lo que había comido, pues no quería que me fastidiaran y me dijeran lo que debía o no comer. Ya estaba harta de que siempre estuvieran reclamándome por todo, en especial mi mamá.

Salí de mi habitación simulando haberme despertado recientemente y entré al baño para bañarme y arreglarme. Luego tomé mi bolso de la universidad, me despedí de mis padres y antes de ir a clases fui al gimnasio. Una vez allí comencé con la caminadora y luego con la bicicleta estática y las cintas de correr para hacer algo de cardio. Mientras hacía los ejercicios pensaba que tal vez debería levantarme más temprano, pues a las cinco era muy tarde, por lo que tomé la decisión de poner mi despertador a las cuatro y así evitar correr el riesgo de que mis padres se dieran cuenta de lo que estaba haciendo.

Luego de un rato de entrenar, tomé mi bolso para buscar mi termo de agua. Tenía mucha sed después de hacer todo el entrenamiento. Aproveché para revisar mi celular y miré la hora. Mis ojos se abrieron como platos. ¡Había estado haciendo ejercicios durante tres horas y no me había dado cuenta! Ya se me hacía tarde para ir a la universidad. Me sequé el sudor con la toalla que traía en el morral y salí rápidamente del lugar rumbo a mi clase.

Después de la universidad regresé a casa para almorzar. La señora María Cruz, quien nos ayudaba en la casa con la limpieza y la comida, estaba haciendo el almuerzo. La saludé y me senté a la mesa. Entonces aproveché para decirle que había comenzado una dieta porque quería quitarme unos kilitos de más, tal como les había dicho a mis padres, y por eso me prepararía yo misma mis comidas. Ella se asombró un poco y me dijo que no necesitaba hacer ninguna dieta, pues ya estaba delgada. Le respondí que era para verme un poco mejor y procedí a prepararme mi pollo con ensalada y brócoli.

Después de almorzar salí a correr. Mientras lo hacía sentí mucha energía y una gran sensación de libertad. Me sentía bien, liviana, que podía con todo, que nada ni nadie podía lastimarme, que era un ave que volaba libre por los cielos hacia donde ella quisiera ir, que podía escapar de mis problemas al menos un rato y que mis emociones se alejaban y mi tormenta interna desaparecía.

En los brazos de "Ana"

Los días pasaban y la comida y el ejercicio se habían convertido en mi refugio. La verdad es que me sentía muy bien, pues cuando las emociones y los problemas me atormentaban, recurría a las caminatas, al gimnasio, a correr alrededor de diez kilómetros y, por supuesto, a comer pollo con brócoli o lechuga. Y aunque había dicho que esa dieta duraría un mes, decidí alargarla un poco más junto con el ejercicio.

Una noche, antes de dormir, me dirigí al baño y me quité toda la ropa. Luego me subí a la báscula que había comprado a escondidas de mis padres hacía un tiempo. No quería que ellos se dieran cuenta de que la tenía, así que después de pesarme la enrollaba con algunas prendas de ropa y la escondía en la parte de arriba de mi clóset. Al principio, cuando no tenía báscula, me pesaba todos los días en el gimnasio. Luego, decidí comprarme una para poder controlar mi peso varias veces al día.

Observé cómo los números comenzaban a ascender, entonces, aterrada, cerré los ojos. Rogué para que no hubiese aumentado de peso respecto al día anterior. Al abrir los ojos una sensación de alivio me invadió por completo y una sonrisa se dibujó en mi rostro. La aguja indicaba el número 44.

Ya había cumplido un mes con aquella dieta. Estaba muy feliz porque había logrado perder quince kilos en ese tiempo. Sin embargo, había modificado algunas cosas en mi nuevo estilo de vida: ya no me levantaba a las cinco, ni a las cuatro, sino a las tres de la mañana. Luego de caminar en ayunas alrededor de cincuenta minutos, me devolvía a mi casa y desayunaba puntualmente a las cuatro. Después me bañaba, me arreglaba y me iba al gimnasio a entrenar por unas tres horas. Dentro de ese tiempo, incluía 45 minutos de cardio. A pesar de que en un principio me costó levantarme a esa hora, poco a poco pude lograrlo; me dormía a las siete de la noche para poder despertarme a las tres de la mañana.

Eliminé todos los alimentos de mi dieta. Solo comía pollo, eso era mi desayuno, almuerzo y cena: pollo hervido o a la plancha, sin sal, sin aceite, sin salsas, sin ningún aderezo; un alimento "seguro" para mí, bajo en grasa y en calorías, al igual que el brócoli o la lechuga. Y no tomaba nada más que no fuera agua: cuatro litros diarios. Después de almorzar, corría hasta casi caer desmayada para poder quemar las calorías que había consumido en el almuerzo. Realmente, entrenaba mucho en relación a lo que comía; no consumía ni 1.000 calorías al día y estaba quemando más de 2.000. Era una lucha interna entre ellas y yo. Las veía como enemigas; todo lo que entrara en mi cuerpo lo veía como algo malo para mí, como algo que quería dañarme.

Aquella era mi nueva vida y la verdad es que me sentaba de maravilla. O eso creía, porque cada día que pasaba me iba obsesionando más y más con la dieta y el ejercicio. Cada vez que bajaba de peso me emocionaba y deseaba que la aguja de la báscula marcara un número inferior al del día anterior. Eso me hacía sentir revitalizada. Era la máxima felicidad.

Pero poco a poco aquello comenzó a controlarme y a volverse más poderoso que yo. No podía escapar de los ejercicios ni de contar las pocas calorías que consumía diariamente, por lo que terminé volviéndome experta en esa tarea y obsesiva con el reloj: lo miraba varias veces al día para poder comer y entrenar a la misma hora todos los días, pues si no comía o me ejercitaba puntualmente, mi metabolismo se descontrolaría y engordaría. Y quería evitar eso a toda costa.

Además de todo aquello, llegué a un punto en el que todo el vacío emocional que sentía lo drené con pastillas, volviéndome dependiente de los laxantes. Comencé tomándome una pastilla antes de dormir para ir al baño y así botar todo lo que comía. Pero, poco a poco aumenté la dosis y terminé tomando cinco píldoras.

La conversación

A pesar de la felicidad que sentía cada vez que bajaba de peso, comencé a sentirme agotada y desmotivada con el paso del tiempo, y poco a poco empecé a sufrir las consecuencias de aquella decisión que tomé cuando ya no pude más con todo.

Así, cuando iba a la universidad, a veces me quedaba dormida en medio de la clase, o incluso faltaba seguido. Además de que perdía los contenidos de las materias, eso afectaba también mi rendimiento académico. En ocasiones, algunos profesores se acercaban a mí para preguntarme si me encontraba bien. Yo les respondía afirmativamente y les explicaba que me había tenido que desvelar para poder hacer trabajos y tareas y por eso, últimamente, estaba tan cansada.

Por otra parte, ya no sentía la misma energía ni vitalidad al correr que tenía al principio; más bien me cansaba más rápido y cada vez me sentía más débil. La cabeza me palpitaba y sentía mucha debilidad en mi cuerpo, por lo que tenía que detenerme seguido. Y a pesar de que corría en maratones y llegaba a la meta, sentía mucho dolor y un hormigueo intenso en mis piernas y brazos.

Además de eso, mis defensas estaban por el piso, ya que me enfermaba muy seguido de cualquier gripe o virus, y la ropa comenzó a quedarme enorme, por lo que, para disimular frente a mis padres, debía usar varias capas de camisas y suéteres anchos encima, pues ya mi delgadez era notoria y no quería que se dieran cuenta.

Sin embargo, de nada sirvió, pues al poco tiempo de haber comenzado mi dieta, ellos sospechaban que algo andaba mal conmigo. Por ello comenzaron a preguntarme qué me sucedía, por qué la ropa me quedaba grande y por qué estaba tan delgada. Yo les respondía ásperamente que todo estaba bien y que no estaba delgada, que seguía pesando lo mismo, pero que la ropa que yo usaba, además de haberse agrandado en la lavadora, era holgada, y me gustaba ese estilo. Ellos no me creyeron nada. Una y otra vez me decían que me veía enferma y que mi rostro estaba demacrado. Entonces andaban con la idea de querer pesarme. Cada vez que escuchaba eso sentía un terrible miedo en mi interior, pero lo disfrazaba con miles de excusas, como que tenía mucha tarea por hacer, que estaba cansada por las clases y el ejercicio, o que ya era de noche. No quería que me pesaran porque me regañarían y se molestarían conmigo, sin mencionar que me obligarían a comer. No quería causarles más problemas.

Sin embargo, un día mi madre se cansó de mis excusas y mi terquedad, y sacó un peso que había comprado y tenía escondido en su clóset. Al verlo mi corazón comenzó a palpitar a un ritmo vertiginoso y mis ojos se tornaron vidriosos. Sentí terror y quise salir corriendo. Con una expresión seria y un tono de voz autoritario me dijo que me quitara la ropa. Yo, con un hilo de voz tembloroso, le decía que no una y otra vez. Ella, cansada de mi necedad, me advirtió que esa era la última vez que me pedía amablemente que me quitara la ropa o, si no, habría consecuencias para nada agradables.

Entonces cedí. No tuve otra opción que quitarme las capas de ropa que traía encima y subirme a la báscula. Cuando mis padres vieron todas las prendas que llevaba puestas se alarmaron. Yo los ignoré por completo y cerré mis ojos con fuerza. Todo mi cuerpo temblaba y mis lágrimas saltaban de mis ojos. Sentía mi muerte cerca, muy cerca. Después de unos segundos que me parecieron eternos, un silencio estremecedor ahogó el lugar. Abrí los ojos y ellos me miraron molestos, tristes, heridos. Miré el número que marcaba la báscula: “44”. Ahora sí, estaba muerta. Ya no podía disfrazar lo inevitable. Me habían descubierto. Sabían que había perdido 15 kilos y yo no podía hacer absolutamente nada para defenderme.

Entonces comenzaron los reclamos, el enojo, las quejas, por una parte, y por otra, la decisión de llevarme al médico. Me dijeron que me llevarían al médico internista y al psicólogo porque estaba enferma y no me dejaba ayudar por nadie. Mi mamá me preguntó cuál era el motivo por el que hacía todo eso si yo lo tenía todo y no me faltaba nada. También me dijo que parecía un esqueleto. La rabia inundaba su ser. Sin embargo, yo les respondía una y otra vez que me sentía feliz, que quería verme siempre así: delgada, y que me dejaran en paz.

Ellos no podían creer lo que escuchaban. Afligidos, me repetían que no estaba bien, que me encontraba demasiado delgada. Me preguntaban qué sucedía, si tenía algún problema que causara que yo estuviera así, tan mal, y si me podían ayudar con algo. Sus miradas de angustia y tristeza me estremecían, pero yo no les decía nada. Solo permanecía allí, en silencio, impávida, sin inmutarme en lo absoluto, escuchando sus preguntas, su preocupación, su dolor. Me decían que me había alejado de ellos, que ya casi no les hablaba ni les contaba nada, ni compartíamos como antes. Y en eso tenían toda la razón. Durante ese mes me había alejado de ellos para refugiarme en la comida "sana" y en el ejercicio, pues deseaba sentir algo de paz interior y ellos no me la daban.

Como respuesta a sus miles de interrogantes, les dije fría y cortantemente que no me pasaba nada y que dejaran el fastidio. Ante ese gesto, mi mamá enfureció y me dijo que iría al médico así fuera lo último que hiciera en mi vida. Además, me advirtió que me pesaría todos los días y que tenía que subir de peso o habría serias consecuencias.

El diagnóstico

Varios días después me hallaba en el consultorio de la internista con una cara de pocos amigos. Mis padres se encontraban nerviosos por el diagnóstico que me daría la doctora. Pero yo estaba muy molesta con ellos, pues por todo armaban un escándalo. Veían alarmante el hecho de haber perdido un poco de peso. Exageraban. Los miraba enojada pero ellos no se daban cuenta, pues sus emociones absurdas no los dejaban ver más allá.

La doctora me hizo un par de preguntas y luego me midió y me pesó, pero no me dijo nada al respecto. Solamente me miró con una expresión seria y me dijo que debía verla una vez a la semana. Eso fue todo. No hubo ningún diagnóstico.

Relajada, y con una sonrisa, salí del consultorio. Aquel infierno había pasado y yo había salido victoriosa, como siempre. Mis padres no me decían nada, pero sospechaban que algo estaba muy mal. Y lo comprobaron cuando, a la semana siguiente, estábamos nuevamente en ese lugar de tortura.

—Bien, Rosa, ¿has sentido debilidad o dolor en el cuerpo? –me preguntó la doctora.

—Sí. Últimamente me he sentido muy débil y me duele el cuerpo y la cabeza muy seguido.

—Comprendo –dijo la doctora mientras asentía con la cabeza–. ¿Qué tal las comidas? ¿Comes por lo menos tres veces al día?

—Sí. –Ella me miraba incrédula.

—¿Qué comes?

—Proteínas y muchos vegetales, doctora. –Ella anotó algo en su libreta y luego continuó:

—¿Haces ejercicio regularmente?

—Sí, todos los días, doctora –dije sintiéndome orgullosa de ello

—¿Has tomado laxantes?

—Sí. Los tomo a diario para limpiar mi cuerpo. –Al escuchar aquello, la mirada afligida y sorprendida de mis padres se clavó en mí, pero yo decidí no seguirles el juego y los ignoré.

—Bien, vamos a medirte y a pesarte ahora –dijo ella. Me levanté de la silla y me subí a la báscula. Internamente rogaba que no hubiese aumentado de peso. Cuando la báscula marcó el número, la cara de la doctora se tornó seria.

—¿Qué pasa? ¿Qué ocurre, doctora? –preguntó mi mamá con ansiedad.

La doctora y yo volvimos a sentarnos y entonces me preguntó:

—Rosa, ¿estás consciente del número que marcó la báscula?

—Sí. Estoy en un peso normal –le respondí.

—¿Normal? –preguntó ella con extrañeza, pero no dijo nada. Solamente miró a mis padres y les dijo–: Señores Medina, esto es algo muy delicado de decir, pero su hija está muy enferma. –Hizo una pausa para ver a mis padres y luego a mí–. Rosa, tu peso no es normal. Está muy por debajo de la media. Sufres de un trastorno de conducta alimentaria llamado anorexia nerviosa.

Al escuchar aquello mis ojos se abrieron como platos. ¿Qué había dicho la doctora? ¿Qué cosa tenía? Eso no era posible. Me encontraba bien, en perfecta salud. Observé la expresión del rostro de mis padres, una que no había visto jamás, una llena dolor y de angustia. Luego de unos minutos, un feroz llanto irrumpió el abrasador y envolvente silencio que se había formado en el lugar. Inmediatamente giré mi cabeza hacia donde provenía. Mamá se encontraba llorando desconsoladamente. No podía siquiera hablar. Por un momento pude sentir su dolor y se me salieron algunas lágrimas. Entonces me abrazó tan fuerte como si no hubiese un mañana.

Observé a mi papá. Él estaba quedo, totalmente inerte. Parecía estar en otro mundo. Quizás el impacto de la noticia había sido demasiado fuerte para él, y como método de defensa había "apagado" sus emociones y se había perdido en sus propios pensamientos. Sin embargo, su rostro expresaba todo el dolor que sentía en ese momento. Estaba hundido por dentro, totalmente roto. Vio a mi mamá y una silenciosa lágrima rodó por su mejilla.

El corazón se me arrugó por completo al verlos en ese estado, pero no dije nada. Me encontraba totalmente en *shock*. La absurda idea de tener anorexia me enojaba muchísimo y aquella emoción era más fuerte que la conmoción que sentía al ver a mis padres así.

Me solté del abrazo de mi mamá y miré a la internista fijamente con total descaro.

—¿Qué fue lo que dijo? –me limité a preguntarle con notable insolencia– ¿Anorexia? –dije burlona y seguidamente solté una carcajada–. Doctora, eso no puede ser. Está loca, eso es una completa locura. No tengo nada de lo que usted dice. Estoy perfectamente bien.

En ese momento me encontraba realmente molesta. Esa doctora estaba tratando de difamarme frente a mis padres. Lo peor era que no me creía nada de lo que le decía. ¿Pero quién se creía que era? ¿Pensaba que por ser médico era mejor que yo? ¿Tenía la autoridad de decir aquellas tonterías?

Por otra parte, mis padres parecían ajenos a todo. Me extrañaba que no me hubiesen reprendido por lo grosera que había sido con la doctora.

—Rosa, sí tienes anorexia –me respondió ella con total calma, sin inmutarse ni reaccionar por el insulto que le había dicho. Yo solo me crucé de brazos. Estaba harta de todo eso.

—Te explicaré brevemente de qué se trata. Esta es una enfermedad mental unida a un trastorno de la alimentación que hace que quien la padezca se obsesione con su peso y con los alimentos que ingiere.

—Pero, doctora, yo no estoy obsesionada con mi peso ni con la comida –mentí, defendiéndome. La verdad era que últimamente no podía dejar de pensar en eso y cada día que pasaba era peor, pero no se lo diría a mis padres, pues no quería que comenzaran a fastidiarme y me obligaran a comer cosas que yo no quería. No les daría ningún motivo para pensar que tenían la razón.

La doctora me miró con expresión compasiva y prosiguió con su explicación:

—Esta enfermedad se caracteriza por tener un peso corporal anormalmente bajo, el temor intenso de comer y de engordar, y por tener una percepción distorsionada del cuerpo.

—¿Lo ve? No tengo una percepción distorsionada de mi cuerpo. Él está perfecto –dije relajada.

—Pero... doctora, esto debe ser un error. Nuestra hija no puede tener esa enfermedad. Es imposible. ¿No será que la báscula se dañó? –preguntó mi papá albergando una mínima esperanza ante aquel terrible escenario. Aún no digería la noticia.

—No, señores, lamentablemente su hija está enferma. Rosa tiene quince kilos menos de los que debería tener. Y eso ha sido en un corto tiempo, según lo que hemos conversado.

—¡¿Quince kilos menos?! –preguntaron alarmados mis padres al unísono.

—Para su altura de 1,66 m, pesa 44 kilos, lo que significa que está en un estado de delgadez enfermizo.

—Esto es totalmente absurdo, doctora. Usted está loca. Yo no tengo nada de eso –le respondí negando todo aquello que me parecía una verdadera estupidez.

—Rosa, dime, ¿cuántos laxantes tomas diariamente? –preguntó la internista.

—Dos.

—¡¿Dos?! –Parecía que ahora mis padres habían entrado en un estado de catalepsia. Estaban totalmente pálidos y en estado de *shock*.

—Rosa, ¿no te das cuenta de la gravedad del asunto? –preguntó preocupada la doctora.

—Doctora, usted exagera. No tengo nada.

—Rosa, no estás bien. No entiendo cómo no tienes colitis o cáncer de colon con todos los laxantes que has ingerido. No es posible que una persona sana pueda bajar quince kilos en un mes. Obsérvate a ti misma, ve cómo se te empiezan a notar los huesos y cómo la ropa te queda enorme. No es normal que eso suceda. Estás enferma y debes tomar consciencia de que dejar de comer no es lo que deberías hacer para estar más delgada y verte bella. Es una enfermedad que te puede matar y tú ya estás en un estado muy grave.

Cada vez peor

Al terminar la consulta, regresamos a casa. En el camino medité acerca de todas las cosas que había dicho la doctora. Algunas eran ciertas: sentía mucha debilidad y dolor en todo mi cuerpo, estaba obsesionada con mi peso y con la comida, y sentía mucho frío. También, mis ojos se volvían más saltones con el pasar del tiempo y mi rostro estaba cada vez más demacrado.

Además de todos esos síntomas que experimentaba a diario, con el paso de los meses me dejó de venir la menstruación y el cabello se me comenzó a caer. Era horrible ver cómo una gran cantidad de mechones de cabello se desprendían de mi cabeza y caían al piso mientras me bañaba.

Mi peso cada día era menor y me sentía orgullosa de ello. Mis padres estaban cada vez más preocupados por mí. En su desesperación me llevaron a varios médicos, entre ellos al ginecólogo, al nutricionista, a la psicóloga y al psiquiatra, pero la verdad es que ninguno de ellos me funcionó.

La internista, en una de las tantas sesiones que tuve con ella, me recetó medicamentos para la depresión y para abrirme el apetito, pero yo jamás los tomé. Siempre los botaba a la basura. Esperaba a que mis padres o la señora María Cruz estuvieran distraídos para deshacerme de esas medicinas infernales.

El ginecólogo me dijo que iba a ser muy difícil que tuviera hijos, ya que aparte de no venirme la menstruación, la anorexia me había causado ovarios poliquísticos, cosa que jamás había tenido en mi vida, y por ello sería difícil quedar embarazada. También me dijo que si seguía así me tendrían que internar porque me hallaba muy mal.

Por otra parte, la psicóloga también me mandó un tratamiento para la depresión y la ansiedad. Ella se aferraba al motivo que me había llevado a padecer la enfermedad. Pero yo no le decía nada; lo que hacía era comentarle que quería bajar de peso y, de esa forma, poder llegar a ser más delgada. Cabe destacar que jamás en mi vida había sido gorda y que sentía un terrible miedo de aumentar de peso. Cuando me mandó a comer pasta dos veces a la semana casi me caigo de la silla. Pensé que estaba bromeando. Le dije que estaba loca. También me dijo que debía verme con ella una vez a la semana obligatoriamente y que debía ir a consulta con el nutricionista, quien también me mandaría a comer pasta y otras aberraciones de ese estilo. ¡Era un total asco todo aquello!

Recuerdo que la primera vez que me desmayé fue en la clínica. Mi mamá me había pedido una cita con la ginecóloga porque ya no me estaba viniendo la menstruación. Ante sus constantes advertencias no pude decir que no, y en contra de mi voluntad fui a la consulta. Mi mamá no me acompañó; fui sola. Mi estómago clamaba por comida y mi cuerpo estaba adolorido y acalambrado, pero ya estaba acostumbrada a esa sensación, así que la ignoré por completo. Sin embargo, ese día aquello fue más allá y sentí mucho miedo, pues pensé que estaba muriendo. Mientras esperaba parada en la fila mi turno para entrar, comencé a sentirme mareada y un hormigueo se apoderó de todo mi cuerpo, en especial de mis piernas. Empecé a ver puntos negros que bailaban y colores que parpadeaban sin cesar. Mi visión se fue nublando y tornando oscura. Mi corazón comenzó a latir vertiginosamente mientras un sudor frío me recorría todo el cuerpo y mi respiración se volvía acelerada. De pronto, el hormigueo que sentía en mi cuerpo aumentó hasta el punto de no poder mover ninguna parte de él. Sentí las piernas muy débiles, como si se me durmieran. De repente, vi totalmente negro. Entonces mis fuerzas se agotaron por completo y caí al suelo. Ese fue el primero de tantos desmayos.

Recuerdo que cuando recobré la consciencia, dos señores muy amables que se hallaban a mi lado me levantaron y me preguntaron si me encontraba bien. Con debilidad les respondí afirmativamente. Entonces uno de ellos me compró un jugo y un caramelo. Luego se me quedó viendo con una mirada de preocupación y volvió a preguntarme si me encontraba bien. Le respondí que sí. Me dijo que me tomara el jugo, pues quizás tenía el azúcar baja. Le agradecí amablemente por su hospitalidad, agarré el jugo y el caramelo y los guardé en mi bolso; no me tomé el jugo ni me comí el caramelo.

El segundo desmayo que tuve también fue esperando para entrar a la consulta, pero esta vez tenía cita con la psicóloga. Fue igual de horrible que el primero. Recuerdo que tenía mucha hambre, como siempre, y que mi cuerpo estaba débil y dolía. Me levanté de la silla para tomar una revista y me tambaleé un poco. Ignoré aquello y volví a sentarme. Al abrir la revista observé cómo las letras comenzaron a moverse como locas, un sudor frío me invadió, mis latidos se volvieron cada vez más fuertes y mi respiración agitada. Sentí miedo. Ya sabía lo que vendría a continuación. Comencé a ver todo borroso y a tambalearme una y otra vez y, de pronto, mi visión se volvió negra y caí al piso.

Cuando recuperé la consciencia, me encontraba acostada en el sillón del consultorio de la psicóloga. Ella me dijo que no podía seguir así porque ya no tenía energía, no podía mantenerme en pie y mi cuerpo no daba para más. En eso tenía razón, yo no podía más, pero era tan orgullosa que no lo aceptaba; lo negaba todo y decía que me sentía bien y que todo estaba bien, que solo quería bajar de peso.

Cuando fui al nutricionista, lo primero que me dijo fue que debía cambiar seriamente mi alimentación. Me mandó a comer carbohidratos como pasta, pan, arroz y cosas así. Siempre me preguntaba qué quería lograr con todo lo que estaba haciendo, adelgazando así. También me dijo que mi porcentaje de grasa corporal era nada más de 5%, y que por esa razón no me venía la menstruación. Además, me advirtió que si seguía con ese porcentaje de grasa tan bajo mis huesos se volverían frágiles y quebradizos. La verdad era que no estaba bien alimentada para todo el ejercicio que estaba haciendo y era muy probable que eso sucediera.

Todos los médicos me pedían que tomara la decisión de salir adelante. Yo, fastidiada y harta de escuchar una y otra vez todo aquello, les decía tajantemente que cuando quisiera tomar esa decisión, lo haría sin ningún problema y lograría salir adelante.

Lo cierto es que los doctores no veían ningún remedio para mi enfermedad, ni para mi actitud. Ninguno podía ayudarme, ninguno veía un cambio positivo en mí. Cada vez que me pesaban tenía un kilo menos.

Pero nada de eso me importaba realmente. Yo era feliz con aquel estilo de vida, contando las calorías de todo lo que comía, incluso de una hojita de lechuga, pesándome muchas veces al día y felicitándome por cada kilo perdido.

Debido a mi constante renuencia a hacerles caso y a mi alarmante pérdida de peso, los doctores me dijeron que si no me recuperaba iba a morir, porque yo misma me estaba matando lentamente. Entonces decidieron, junto con el consentimiento de mis padres, internarme una semana en una clínica de trastornos alimenticios; pero aquello tampoco funcionó, pues a pesar de los intentos de los médicos y enfermeras para hacerme comer, siempre hallaba la manera de trampear con la comida, al igual que lo hacía en casa, y me mantenía en un constante estado de alerta ante todos los alimentos que me servían.

Tenía miedo de engordar. Estaba tan delgada que se me veían los huesos, pero yo me sentía "feliz". Me veía en el espejo y me decía con una sonrisa que había logrado lo que quería: bajar de peso. Sin embargo, deseaba seguir adelgazando cada vez más.

Empezando a caer más profundo

Comencé a ocultarles cosas a mis padres, pues, no quería preocuparlos más de lo que ya estaban. Por eso empecé a comer a escondidas de ellos, ya que no quería que se dieran cuenta de cómo estaba comiendo.

Debido al gran cansancio que sentía me obsesioné también con el café y llegué a tomar diez tazas diarias, pero sin leche y sin azúcar, ya que eso me engordaba. No comía dulces, ni chocolates, ni tomé jugos durante un año y medio, y llegué a pesar 32 kilos.

Mi casa se había vuelto un cuartel militar. Mi mamá me hacía la comida y se iba a trabajar. Ella le decía a la señora María Cruz que estuviera pendiente de mí y que comiera conmigo para saber lo que ingería. Y así lo hacía todos los días. A la hora del almuerzo, cuando me sentaba a comer, observaba el plato de comida frente a mí; lo veía enorme, para mí, eran grandes cantidades de comida y de calorías que amenazaban con dañar mi cuerpo, con engordarme. Me daba asco la comida, no soportaba ver toda esa cantidad en mi plato, me causaba ansiedad. Sin embargo, había inventado otra forma de salirme con la mía: simulaba comer lentamente y, así, esparcía la comida por todo mi plato para que se viera más vacío y pareciera que estuviera comiendo y cuando la señora María Cruz se levantaba de la mesa, yo aprovechaba la oportunidad para botar mi almuerzo y hacerme pollo con ensalada.

Cuando mi mamá llegaba del trabajo le preguntaba a la señora María Cruz si había comido y ella le respondía afirmativamente. Le decía también que me había tomado las pastillas de mi tratamiento. Y yo sonreía porque se creían aquella mentira. Me sentía toda una triunfadora.

Mundo perfecto

Un día me encontraba en mi habitación viendo una película y me dio mucha sed, por lo que me levanté a buscar un poco de agua. Antes de bajar a la cocina escuché sollozos y voces lastimeras que provenían de la habitación de mis padres. La puerta se encontraba entreabierta y dejaba ver una fina línea de luz que se dibujaba en el piso. No lo pensé dos veces y me asomé. Entonces los vi. Se encontraban arrodillados orando y pidiéndole a Dios. Lloraban desconsoladamente y le pedían por mí, porque me recuperara de la anorexia.

Mi mamá, en medio de su llanto, le suplicaba a Dios: "Dios, sálvala. Yo no quiero que mi hija se muera. Ella siempre ha sido una niña feliz. Por favor, haz que vuelva a ser esa niña feliz y que no esté triste. Te lo pido, Señor. Sálvala, ayúdala a que se dé cuenta de que está mal. Abre sus ojos para que pueda salir de esta enfermedad".

Al presenciar aquella escena mi expresión cambió, el enojo y el fastidio se apoderaron de mí. ¿Otra vez estaban con lo mismo? Qué molesto. Siempre hablaban del mismo tema, de mi supuesta anorexia. Era enfermizo. En realidad, los que estaban mal parecían ser ellos. Estaban obsesionados.

Decidí que era mejor dejar de escucharlos y me dirigí a la cocina por mi vaso de agua. Luego regresé a mi habitación. A pesar de no haber sentido nada en ese momento, dentro de mí sabía que aquella capa de frialdad e indiferencia que venía cargando conmigo todo ese tiempo comenzaba a quebrarse. Haber visto a mis padres allí, postrados, llorando, suplicando, me partió el alma y tocó mi corazón.

Sin embargo, la rebeldía dominaba mi ser y era completamente ciega y sorda ante mi verdadera realidad. No quería escuchar a nadie porque, para mí, ninguna persona tenía la razón, salvo yo. Me alejé cada vez más de mi familia y amigos, y me adentré más y más en mi mundo "perfecto", aquel que estaba lleno de hermosas y delgadas princesas de cristal que bailaban y reían, y donde nadie podía hacerme daño.

Con el tiempo me había vuelto muy introvertida. No me gustaba comer en público y prefería comer sola porque cuando compartía con algún amigo, me preguntaba por qué comía lo que comía y por qué bajaba de peso si ya estaba delgada, por qué no comía dulces o por qué no quería compartir con él. Realmente, ese tipo de preguntas me hacía sentir muy incómoda y me sacaba de mis casillas. La gente desconocida me señalaba y se burlaba en la calle, y mi familia y amigos hablaban del tema, me criticaban y eso me fastidiaba. Por esa razón dejé de compartir con ellos por un año y medio.

Refugio

Debido a la preocupación y angustia que sentían mis padres, me compraron un peso nuevo, y todos los días me pesaban para ver si aumentaba algunos kilos, ya que si estaba comiendo y siguiendo los tratamientos que la internista y la psicóloga me habían mandado, tenía que engordar; pero yo estaba retrocediendo cada vez más, mi peso era cada vez más bajo.

Cuando ellos se dieron cuenta de eso, se desesperaron y se alarmaron mucho. Entonces, comenzaron a abordarme con preguntas y me obligaban a comer. Me preguntaban angustiados qué me sucedía y por qué no comía, pero yo era muy insolente y les decía que dejaran el fastidio. Nunca les comentaba nada. Nunca me abrí con ellos, ni me sentí en confianza para contarles lo que me sucedía, para expresarles que su relación me estaba perturbando, que me sentía sola, triste. Nunca lo hice porque preferí quedarme callada y no darles más problemas de los que ya tenían.

Debido a todas las emociones que sentía y a los problemas que no cesaban de atormentarme, dejé de ir a la universidad y me refugié aún más en los ejercicios. Eso me daba mucha "paz" y me tranquilizaba. Cuando salía, me tapaba con muchas capas de ropa para que la gente no se diera cuenta de lo delgada que estaba y para evitar así sus miradas de extrañeza o de lástima, de sus susurros, burlas o comentarios hirientes.

Ni dulces ni citas

Cuando cumplí los 20 años ya tenía un año con anorexia. Ese día no hice ninguna celebración porque no quería compartir con nadie y mucho menos comerme una torta.

Para ese día especial mi papá me mandó a hacer una hermosa torta de cumpleaños y la picamos en casa, solo nosotros tres. Con una voz dulce, él me pedía que me comiera un pedazo de torta porque me la había mandado a hacer con mucho cariño. Pero yo no me la comí, ni un pedacito, ni una migaja, nada. Le decía que me la comería después. Lo cierto era que no quería comer nada que me engordara y una torta tenía demasiadas calorías, demasiada harina, huevos, mantequilla, azúcar, chocolate...y eso era mucho para mí. Si comía un pedazo de torta engordaría tanto que moriría, así que no comer era la mejor opción.

Al pasar un tiempo conocí a un muchacho en el gimnasio. Él me invitó a comer y yo acepté. Le dije que lo acompañaría con mucho gusto pero que no comería con él. Al escuchar mis palabras quedó un poco extrañado, sin embargo, me respondió que no había problema y que pasaría por mí a las ocho de la noche. Ante aquellas palabras no pude evitar ponerme nerviosa. Le dije que mejor me buscara a las seis para regresar a mi casa temprano, pues a las siete ya tenía que estar dormida. Al escuchar aquello, su expresión fue de asombro y me dijo que estaba loca.

Mi rostro poco a poco se tornó sombrío y estallé de furia. Le dije que era un maleducado por decirme esas cosas y le di una cachetada. Seguidamente, me fui del lugar. Lo cierto era que estaba bastante grande para calarme ese tipo de conductas de un tipo que ni conocía. Ese día al llegar a casa lo bloqueé de todas las redes sociales porque la verdad él no me importaba para nada y no quería que me hablara más. Al día siguiente, me lo encontré en el gimnasio y lo ignoré completamente.

Comentario punzante

Pero esa no fue la única situación vergonzosa que pasé por culpa de la anorexia, pues un día en el gimnasio se me acercó un señor que conocía desde hacía tiempo. Amablemente me saludó, y al ver mi delgado y demacrado aspecto me preguntó sin ningún tipo de tapujos ni disimulo alguno, qué me había sucedido, que si tenía sida. Ante aquella pregunta no pude hacer otra cosa que quedarme mirándolo pasmada. No pude ocultar mi expresión de asombro y enojo al escuchar esas palabras, ¡era un insolente! Le respondí firmemente que no tenía sida, pero que cuál sería el problema si lo tuviera. Ante mi respuesta, se inmutó y su expresión cambió, le dio vergüenza, pero no dijo nada. Solo se dio media vuelta y se fue.

Además de esa dolorosa experiencia, hubo muchas otras relacionadas con personas que me hicieron ese tipo de comentarios hirientes o que se me quedaban viendo asustadas pensando que yo tenía alguna enfermedad terminal. Me daba cuenta de que cuando entrenaba en el gimnasio la gente susurraba, me señalaba, se burlaba y cuando pasaban a mi lado se preguntaban entre ellos qué enfermedad tenía. Yo los escuchaba atentamente y ellos me miraban. Aun así, yo seguía en mi mundo de anorexia y sus comentarios o burlas hirientes no me importaban, nada de eso me afectaba... o eso decía yo en un intento de calmar mis emociones y todo ese dolor que embargaba mi ser.

Lo cierto es que ese dolor y esas emociones que sentía los encerré en un baúl en lo más profundo de mi ser y boté la llave que lo abría. Me volví una persona que le hacía caso omiso a todo. No me importaban los demás, solo yo y mi mundo perfecto de chicas delgadas y "poderosas".

Mientras me sucedió todo esto, mis padres tomaron la decisión definitiva de separarse y firmaron el divorcio. Pero más allá de eso, a los dos meses de haber firmado decidieron darse una oportunidad y comenzaron a unirse cada vez más. Realmente nunca estuvieron separados, pero yo seguía en mi mundo de anorexia, en mi burbuja. Me volví muy rebelde, contestaba mucho, no hacía caso a lo que mi papá me decía, no me importaba nada. No quería superar mi enfermedad.

Contacto con Dios: aceptación de la enfermedad

La verdad es que dentro de todo me sentía "bien" en mi mundo de princesas delgadas donde todo era perfecto. Mis padres no estaban separados y yo hacía mucho ejercicio y estaba delgada, justo como quería estar. Todo parecía volver a estar "en orden" en mi vida. O eso creía yo.

Un día, luego de un año y siete meses de padecer anorexia, me hallaba sola en mi casa, más específicamente en mi habitación. Llovía a cántaros y eran alrededor de las diez de la mañana. No tenía ánimos de hacer nada. Me sentía muy mal, tan triste, tan vacía. No recordaba haberme sentido tan horrible en mi vida como ese día. Estaba harta de todo, de mi propia vida. Vi por la ventana cómo caía la inclemente lluvia, sin piedad, sin ningún tipo de compasión por los seres vivos que en ese momento se encontraban indefensos bajo su dominio, sin poder cubrirse de sus feroces espinas líquidas.

Me quedé allí, escuchando el ruido de aquella tormenta, el ir y venir del viento bravío que azotaba los árboles de la ciudad y hacía chirriar los vidrios de las casas. Entonces suspiré y me adentré en mis pensamientos. Miles de ellos me atrapaban, me golpeaban, me lastimaban. Estaba herida, decepcionada de mí misma y dela vida. Me odiaba y quería acabar con mi vida en ese instante. Quería acabar con todo mi sufrimiento, con todo el dolor que sentía dentro de mí. Me sentía tan sola, tan débil, tan frágil...

De pronto, las lágrimas llegaron. Comenzaron a caer a chorros de mis ojos. "¿Qué está sucediendo?", me pregunté. No entendía lo que estaba pasando, por qué lloraba. Jamás me había sentido así. Sentía mucha rabia y decepción, tanta, que comencé a maldecir mi vida y a maldecirme a sí misma. Me repetía una y otra vez que era una inútil y que no servía para nada.

A medida que todas esas emociones afloraban, mi llanto se hacía más fuerte. Entonces, de repente, me encontré desesperada por salir a correr. Quería escapar de todo: de esas emociones y pensamientos que me atormentaban, de ese estado tan extraño que me había invadido por completo; escapar de mí misma. Sin embargo, estaba lloviendo. ¡Hasta la lluvia arruinaba mi escape! ¡Demonios!

Me senté un momento en mi cama para calmarme y vi mi gran espejo en la pared. Me detuve frente a él y comencé a quitarme toda la ropa. Entonces me miré fijamente: los pies, las piernas, la espalda. Y sucedió lo que por mucho tiempo mi mente había negado: vi a la verdadera yo, la que durante casi dos años estuvo oculta tras una imagen distorsionada producto de una mente que estaba enferma. Observé detalladamente cada parte de mi cuerpo, veía cómo se me notaban los huesos, las costillas, cómo sobresalían de cada parte de mi piel. Nunca en mi vida me había visto tan flaca. Estaba impactada ante lo que veían mis ojos. Entonces comprendí por fin que me encontraba muy mal y fue realmente doloroso.

Sin embargo, esa imagen se distorsionaba, pues a veces me veía delgada y luego no. A ratos parecía un esqueleto andante y después me veía con sobrepeso, obesa. Era realmente horrible. A medida que me veía detenidamente, mi llanto aumentaba; sin embargo, seguía sin entender por qué lloraba. De pronto, mi respiración se volvió agitada y un sudor helado comenzó a recorrerme. Empecé a temblar y sentí que me iba a desmayar. No podía controlar el llanto que comenzaba a ahogarme.

Entonces aquel baúl lleno de emociones y de dolor que tenía guardado en lo más profundo de mi ser se abrió mágicamente y ellos escaparon de allí a la velocidad de la luz para manifestarse en mí, para salir de mí, pues ya no querían estar presos en ese lugar.

Jamás había llorado como lo hice ese día. El dolor que sentía me quemaba y en ese momento pude sacarlo de mi ser. Pude liberar todo lo que llevaba por dentro y que había guardado en mi pecho por mucho tiempo.

Entonces, en aquel estado, me arrodillé y hablé con Dios:

—Dios, te necesito. Por favor, ayúdame, porque necesito salir de esta enfermedad y sola no puedo. Te necesito en mi vida, no puedo más. No aguanto más, mi cuerpo no da más, mi vida no da más. El cabello se me está cayendo, no me viene la menstruación. Me duelen las piernas, los huesos, la cabeza. Me duele todo. Estoy sola. Un vacío me come internamente. No aguanto este dolor que llevo dentro de mí, me quiero morir. Tengo rabia, resentimiento. Por favor, ayúdame a levantarme, a seguir adelante. Ayúdame a salir de esta enfermedad que me está matando.

Mi voz estaba totalmente entrecortada y ya no tenía energía para levantarme. Cerré mis ojos con fuerza. De pronto una suave brisa me acarició y un delicioso perfume llenó mi habitación.

Entonces sentí a Dios en mi corazón, su presencia fue como un manantial; sentí su cálido abrazo. Fue lo más hermoso que me pasó en la vida. Lo sentí cerca de mí. Estaba conmigo. Me brindaba una seguridad que jamás había sentido. Su dulce voz era una música celestial que aliviaba mi destrozada alma y decía: "Aquí estoy. Jamás te voy a dejar sola. Yo te amo y cuidaré de ti. Toma mi mano. No te soltaré. Yo te voy a ayudar a salir de tu enfermedad".

El dolor en mi pecho comenzó a disminuir y ese pesado saco que siempre había cargado conmigo y que no me dejaba caminar tranquila, empezó a vaciarse poco a poco. Comencé a sentirme liviana, y una sensación de tranquilidad y paz me invadió por completo. A pesar de no poder dejar de llorar, en ese momento supe que todo iba a estar bien. Y fue allí, en ese instante, postrada ante Él, cuando tomé la decisión de salir de aquella malvada enfermedad. Ya no estaría sola. Me sentía amada. Y tenía la seguridad de que de ahora en adelante todo iba a estar bien tomada de la mano de Dios.

Ejercicios prácticos

¿Qué se siente saber que algún día cerrarás los ojos y no despertarás por causa de la anorexia?

CAPÍTULO **2**

VOLVIENDO A MÍ

cuando el amor llega

No había pasado desde que me encontré conmigo misma en el espejo. Sin embargo, sé que entré en un estado de trance, pues me olvidé de todo lo que estaba a mi alrededor y me quedé paralizada observándome con detenimiento.

Al terminar de vestirme, me senté en mi pequeño escritorio y encendí mi *laptop*. Me sequé las lágrimas y de inmediato comencé a investigar en Internet cómo podía salir de la anorexia. Busqué mucha información y leí hasta más no poder. Entonces ideé un plan y empecé a escribir lo que tenía que comer a partir de ahora para recuperarme. Debía incluir los carbohidratos en mi dieta e incorporar otros nuevos alimentos, hacer menos ejercicio para poder aumentar de peso y también dejar de purgarme. Estaba determinada a tener una vida tranquila y feliz. Le había prometido a Dios salir de mi enfermedad y lo haría costara lo que costara, sin ser consciente aún de lo difícil que sería.

Comencé a tener sentimientos encontrados, sentía mucha contradicción. Por un lado, me sentía muy torpe y estaba aturdida; por otro lado, estaba totalmente activa y comprometida con mi decisión.

Escribir lo que tenía que hacer para mejorar y así salir de mi enfermedad no funcionó de nada. Por más que me esforzara, no podía ponerlo en práctica, ya que luego de un año y medio de vivir una rutina de alimentación y de ejercicios tan exigente y de no salir de mi zona de *confort*, estaba totalmente descontrolada y perdida. No sabía cómo comenzar un estilo de vida saludable y no quería buscar ayuda con médicos ni con mis padres, pero de algo estaba completamente segura: no me iba a morir. Saldría de esto fuera como fuera. Quería comenzar a hacer las cosas bien, sin presión, sin que nadie me dijera nada.

Entonces, determinada, fui a la habitación de mis padres para hablar con ellos sobre la decisión que había tomado. Les pedí que fuéramos a la sala para poder conversar más a gusto. Una vez allí, respiré profundo y comencé a hablar:

—Mamá, papá, quiero decirles algo –los miré seriamente–.

Tuve el encuentro más hermoso de mi vida. Hoy me encontré con Dios. Gracias a Él pude abrir mis ojos y darme cuenta de que estoy muy enferma y que puedo morir. Además de eso, me hizo ver el dolor que les he causado durante todo este tiempo gracias a la anorexia y a mi rebeldía. Y por ello he tomado la decisión de salir de ella. No voy a morir por culpa de esta enfermedad. –Sonreí llena de ilusión.

Al escuchar mis palabras, sus rostros cambiaron por completo. No podían creer lo que escuchaban. Poco a poco sus ojos se llenaron de lágrimas y sus semblantes dieron paso a la alegría y a la esperanza. Entonces me abrazaron con fuerza y nos quedamos así un largo rato, en silencio. Aquel era un abrazo que expresaba amor, agradecimiento y comprensión. Era un abrazo que me tranquilizaba y a ellos también, uno que nos traía paz y nos decía que todo iba a ir bien a partir de ahora.

No pude evitar llorar junto a ellos. Eran muchas emociones encontradas. Sin embargo, la que más predominaba era la felicidad.

—¡Dios bendito! ¡Dios santo! Has escuchado nuestras oraciones, nuestras súplicas, y por ello te damos gracias, amado Padre. Gracias por salvar a nuestra hija, a nuestra luz. Gracias por hacer que tomara consciencia de su enfermedad. Gracias, mi Señor. –Agradecía mi madre entre lágrimas mientras me abrazaba con más fuerza.

—Padre mío, gracias por mostrarnos la luz al final del túnel. Gracias por hacer que nuestra hija abriera los ojos y viera la realidad. Ahora ella volverá a ser esa mujer encantadora y alegre que siempre ha sido, con esa luz que la hace tan única y especial, que tanto la caracteriza –dijo mi padre con voz quebradiza para luego besar mi cabeza.

Cerré mis ojos y los abracé como si mi mundo dependiera de ello. Me sentía tan agradecida, tan llena de paz.

—Solamente quiero pedirles algo –dije una vez que nos soltamos de aquel amoroso abrazo.

—Dinos, cariño, haremos lo que tú quieras –dijo mi madre.

—Quiero salir de mi enfermedad yo sola y quiero que respeten mi decisión. No quiero que nadie me ayude, ni psicólogos, ni psiquiatras, ni médicos internistas, ni nutricionistas, ni ginecólogos. Nada. Y, con todo el respeto y el amor que les tengo a ustedes, tampoco quiero que intervengan en mi proceso de sanación. Quiero hacer esto yo sola. Si hay alguna ayuda que necesito y deseo en estos momentos, es la de Dios –dije con firmeza. Ellos tomaron mi mano y me sonrieron. Luego me dijeron que estaban totalmente de acuerdo con mi decisión y que no se interpondrían en ella.

Después de la conversación, nos arrodillamos y seguimos dándole las gracias a Dios por el milagro que había hecho conmigo. Y es que Él fue el único que pudo abrir mis ojos ante la verdad. No lo hizo un doctor u otro especialista, solo Él había sido capaz de eso y yo estaba eternamente agradecida por ello.

El gran viaje

Pasaban los días y yo seguía investigando en Internet, buscaba testimonios de personas que superaron su enfermedad, y me la pasaba en eso. Hasta ahora nada me había dado resultado, ni buscar en la *web*, ni mi plan para cambiar mi alimentación y la extenuante rutina de ejercicios. Lo cierto es que estaba comenzando a perder la esperanza de que aquel plan funcionara, pues, seguía haciendo lo mismo que antes y así solo moriría un día de estos. Era muy difícil quitarme aquel *chip* que me decía qué hacer. Y ni hablar de la voz en mi cabeza; era una tétrica voz que escuchaba a diario y no me dejaba en paz. Me atormentaba diciéndome que estaba gorda y que nadie me querría así, que no comiera porque me volvería fea, que si comía más de la cuenta moriría y si no hacía ejercicio me pondría tan obesa que explotaría.

Cuando tomé la decisión de salir de esto, todo se volvió peor, pues, la voz se intensificó cada vez más y cuando quería comer otra cosa que no fuera pollo con brócoli, ella me lo impedía y me decía que era una mala persona por desobedecer sus órdenes, que recordara que si comía algo distinto, moriría. Lo mismo sucedía con el ejercicio, simplemente no podía detenerme, hiciera lo que hiciera. Mi reloj biológico me despertaba a las tres de la mañana y aquella voz tormentosa me controlaba como a un robot y me obligaba a hacer ejercicio.

Buscando y buscando en Internet me metí en *Twitter* y, de pronto, me topé con un tuit que hablaba acerca de una conferencia de nutrición. Esta sería llevada a cabo en Caracas por el doctor Guillermo Navarrete el viernes a las siete de la noche y en ella hablaría acerca de cómo comer bien.

Al leer aquello sonreí y mi corazón comenzó a palpitar muy rápido. Esa conferencia podía ser la llave para salir de todo esto. Con una férrea determinación me dije que iría. Quería ver qué aprendía de ella. Emocionada, compré mi entrada y el viernes me fui de Valencia, la ciudad donde vivo, a Caracas. Pero durante aquel viaje hubo un tráfico terrible. Entonces comencé a desesperarme. No era posible que sucediera eso ¡justo ese día!

Al llegar al lugar, me bajé del auto y me dirigí corriendo hacia el salón del hotel donde dictarían la conferencia. En el camino miré mi reloj: eran las nueve de la noche. Me había perdido la conferencia; no había podido escuchar nada. Me sentía muy frustrada. Sin embargo, decidí entrar a la sala. El doctor Guillermo me vio y me hizo pasar para saludarlo y tomarme una foto con él. Observé una fila de gente que se había formado para hacer lo mismo y me uní a ella.

Mientras esperaba mi turno, comencé a ver a mi alrededor. Observaba a todas las personas. Estaban relajadas, hablando, riendo, algunas escribiendo en sus teléfonos celulares. Sin embargo, un chico en particular llamó mi atención en seguida, por lo que no pude evitar mirarlo constantemente. Se encontraba adelante, hablando con el doctor Guillermo y un grupo de amigos. Parecía que ellos dos se conocían desde hacía tiempo, y así era. Cuando llegué adonde se encontraba el doctor, el chico al que no dejaba de mirar se acercó a mí y me preguntó si me gustaría subir a la tarima a saludar a "Nutrillermo". Yo reí por la graciosa combinación de palabras y le dije que sí, pues, realmente ya era mi turno para conocerlo. La fila había avanzado muy rápido y yo ni cuenta me había dado.

Subí a la tarima y saludé al doctor. Luego me tomé una foto con él. Cuando me disponía a irme, me dijo que me esperara porque quería que nos tomáramos una foto grupal. Yo le dije que no había ningún problema. Mientras esperaba a que él terminara de tomarse las fotos con las personas que faltaban, aquel chico se acercó a mí y se presentó. Su nombre es César González. Yo le sonreí y también me presenté. Luego le pregunté si íbamos a estar allí mucho rato, pues me tenía que ir a Valencia y ya era tarde. Además, le dije que tenía hambre y que compraría una ensalada y me iba; era lo mejor. Sin embargo, él me dijo que no me fuera aún, pues todos iríamos a comer. Pero yo no estaba tan convencida de esa idea.

Después de tomarnos la foto grupal, el doctor Guillermo nos preguntó a dónde iríamos a cenar. Yo estaba decidida a irme a Valencia, así que le agradecí por todo y le dije que debía irme. Sin embargo, él me convenció para ir a cenar y compartir un rato con todos, aunque tenía miedo de comer algo que no fuera pollo con brócoli, y más miedo de comer frente a otras personas.

La verdad es que cenar con ellos fue una de las mejores cosas que pude hacer, pues la pasé excelente esa noche. Compartimos un largo rato entre risas y anécdotas. Era la primera vez en años que me sentía bien al estar rodeada de personas, charlando y riendo, relacionándome, y más aún, al comer con ellas sin sentir miedo o querer salir corriendo a ocultarme en un rincón. Me sentí libre y muy feliz. Esa noche nació una gran amistad entre Guillermo (como lo llamo hoy en día) y yo. Él es una persona muy sabia e interesante y tenía mucho que contar. A pesar de no haber podido escuchar la conferencia, él me habló de una manera que hizo que yo sintiera como si hubiera estado allí. Por otra parte, también me hice amiga de César.

Al terminar de cenar miré la hora en mi reloj y me sobresalté. ¡Era tardísimo! Les dije a todos que ya era muy tarde y debía irme. Sin embargo, al escuchar mis palabras, César me vio con una expresión de angustia y a la vez de sorpresa en su rostro:

—Pero es la una de la mañana, Rosangélica. Es muy peligroso que te vayas a esta hora a Valencia. Mejor quédate aquí y en la mañana temprano te regresas. Puedes quedarte en casa de Guillermo o de alguno de nosotros, o pasar la noche en un hotel–me dijo con preocupación en su voz tratando de convencerme de que no me fuera; sin embargo, yo estaba decidida a irme. Agradecía la hospitalidad de todos, pero no era muy normal quedarme en casa de unos desconocidos a dormir.

—Muchas gracias por ofrecerme un lugar en sus casas para que yo me quede, pero de verdad no quiero molestarlos. Me iré rápido a mi casa –les respondí.

—Pero es peligroso que te vayas a esta hora y a un lugar tan lejos. Conducir en la carretera de noche, sobre todo en Venezuela, a la una de la mañana, tú, una mujer, sola, no es la mejor idea. De verdad insisto en que te quedes. Si no quieres quedarte en casa de ninguno de nosotros, puedo prestarte dinero para el hotel.

Yo reí por su insistencia (¿o terquedad?) y amabilidad, pero de igual modo decidí irme. Así que me despedí de todos y les agradecí por la noche tan linda que había pasado en su compañía. Entonces César me pidió mi número de teléfono para hablar conmigo durante mi viaje a casa. Yo se lo di y durante las horas que duró aquel trayecto conocí a una persona muy simpática y agradable que me hizo reír hasta dolerme los cachetes. Además de eso, el hecho de acompañarme vía telefónica hasta Valencia para asegurarse de que llegara bien y a salvo a mi casa había sido un gesto muy dulce.

Había sido una gran noche.

Amigos

Debo admitir que esa noche nació algo muy bonito entre César y yo. Como habíamos intercambiado números, comenzamos a hablar muy seguido por mensajes y llamadas. Así fue como empezamos una relación de amistad. Él vivía en Estados Unidos, pero se iba a quedar un año en Venezuela por asuntos de trabajo, específicamente en Caracas. Así que cada vez que queríamos vernos, él viajaba a Valencia o yo iba a Caracas.

Yo lo veía con ojos de cariño y de amistad. Nunca lo vi como algo más. No me gustaba de una manera romántica. Pero a veces el destino, o más bien Dios, cambia algunos planes en nuestra vida.

Palabras que llegan al corazón

César era muy atento y tierno conmigo, todo un caballero. Siempre estaba pendiente de mí, me llamaba o me escribía lindos mensajes. Era muy detallista. Cada vez que nos veíamos tenía un detalle para mí o me decía cosas bonitas; incluso me mandaba flores a mi casa, y yo muero por unas flores. Pero lo que más me gustaba de él era que siempre me sacaba una sonrisa.

Una semana después de conocernos, él fue a Valencia un fin de semana y nos vimos. Me invitó a cenar y fuimos a un restaurante de sushi, pues no iba a decirle para ir a comer pollo con brócoli. Además, siempre he sido amante del sushi, y me pareció buena idea ir a ese restaurante, pues comería pescado crudo, que me encanta y no engorda. Sin embargo, como la voz del diablito (como yo la llamaba) seguía en mi cabeza atormentándome, me metí en Internet para ver cuántas calorías contenía un plato de *sashimi*. César me pasó buscando para ir al restaurante. Al llegar, él pidió un vino y yo agua. Comenzamos a hablar para así conocernos más. Me di cuenta de que era demasiado observador. A pesar de que jamás me preguntó nada sobre mi delgadez durante la cena, me sentía muy nerviosa y mi corazón latía a mil por hora, pues tenía mucho tiempo sin salir, y menos con alguien.

Mientras él se tomaba su vino, me tomó la mano y con una voz dulce me dijo:

—Rosangélica, eres una mujer muy hermosa y me gustas mucho. –Mi sorpresa al escuchar aquellas palabras fue tanta que casi escupo el agua que estaba tomando.

—Có... ¿Cómo? ¿Que yo qué? –pregunté con torpeza.

—Me gustas. Y a mí no me importa si eres flaca, gorda, alta o bajita, me gustas igual. No me gusta tu físico, me gusta tu esencia.

Ahora ni podía tomar mi agua. Estaba aún más impresionada por sus palabras. Jamás pensé que me diría algo así. No encontraba qué responderle.

—Wow, eres bastante directo. Apenas nos conocimos la semana pasada –le dije finalmente.

—No estoy en edad para mentir. Todo lo que te digo es cierto –me dijo con firmeza viéndome a los ojos–. Cuando te conocí vi tu carisma y alegría, tu esencia, y eso es lo que realmente importa. Tú eres una persona que no está desesperada por encajar en este loco mundo, que no oculta sus opiniones, tampoco su tristeza, pero que a su vez no teme hacer elogios o cumplidos a los demás. Y eso es algo hermoso, que te muestres tan transparente, tal y como eres. Eso te hace una persona auténtica y honesta, además de curiosa. Y esas son características que son difíciles de encontrar en una persona, pues están un poco extintas hoy en día. ¿Sabes? –continuó–, la vida me enseñó que no podemos juzgar un aguacate por fuera; incluso al tocarlo tampoco sabemos con certeza cómo estará por dentro, cómo será su sabor. Para esto debemos probarlo. Igual sucede con las personas; enamorarse de su esencia es el mejor amor que existe.

Al escucharlo le sonreí. Aquellas palabras que me dijo esa noche fueron realmente especiales; tanto, que se quedaron en mí, dentro de lo más profundo de mi ser. Me marcaron para siempre y fueron el inicio de la Rosangélica que soy hoy en día.

Jamás las olvidaría. La verdad es que mis ojos se llenaron de lágrimas al escucharlas. Y es que durante el año que tuve anorexia nadie me dijo que estaba bonita o que yo le gustaba. Nadie me miró como él lo hizo. Estaba impresionada porque un hombre se había fijado en mí a pesar de la enfermedad que tenía. Sin decirme nada, ni opinar sobre el tema. César siempre me decía que yo le gustaba, que quería estar conmigo. La verdad es que no le creía mucho, porque entre nosotros no había pasado nada. Solamente compartíamos de a ratitos y de vez en cuando, más nada.

Sin embargo, hablábamos todos los días por teléfono y nos enviábamos muchos mensajes. Me llamaba a las cinco de la mañana porque sabía que yo me levantaba a las tres, y hablábamos como si fuéramos novios, desde la mañana hasta la noche. Lo más gracioso de todo era que no habíamos tenido absolutamente nada de contacto físico, y eso me parecía tan raro. Es decir, ¿por qué que él se fijaba en mí y todos los días me hablaba como si fuera su novia si no era un niño sino un hombre? ¿Qué necesidad tenía un hombre de 37 años de querer estar con alguien como yo? No lo entendía. Dentro de mí me preguntaba cómo podía gustarle alguien que ni siquiera había besado, con quien había compartido poco en comparación con una relación normal, que salen al cine, se conocen bien y saben qué le gusta a la otra persona. Él era muy extraño.

Y más extraño era el hecho de que me dijera que quería tener una familia con una mujer como yo, más aún cuando me lleva diecisiete años. No lo podía creer. Simplemente no me cabía en la cabeza que un hombre casi veinte años mayor que yo pudiera fijarse en una muchacha tan joven y enferma.

Sin embargo, la pasaba muy bien con él. Todo era alegría y risas cuando estaba a su lado. Compartiendo con él, yo volví a sonreír de manera genuina, de verdad, y supe que había esperanzas de salir de mi enfermedad. Entonces comenzamos a tener una especie de relación. La verdad es que aquello no era muy formal, ya que por el hecho de vivir lejos era una relación a distancia. Además, pronto se iría a Estados Unidos. Por otra parte, yo no quería enamorarme ni sentir nada por nadie. Por esa razón solo lo veía y lo quería como un amigo, no como algo más. Me gustaba mucho compartir con él, pero hasta allí. No quería tener algo más serio con él. ¿O me estaba mintiendo a mí misma?

Avanzando poco a poco

Cuando César se fue, decidí que era hora de retomar mis estudios universitarios. Además de eso, seguía luchando contra la anorexia. Quería superar mi enfermedad yo sola, así que me dije a mí misma que no quería nada con nadie. Sé que todo iba muy bien entre César y yo, pero la verdad es que tenía una mezcla de sentimientos. Miles de preguntas rondaban por mi cabeza. Me preguntaba si en verdad me gustaba o si solo lo quería como mi amigo. Sin embargo, la respuesta siempre era la misma, y en vez de aclarar aquel remolino de dudas, lo volvía más oscuro: "No sé" era la respuesta a esa eterna pregunta.

No sabía qué sentía, pero de algo estaba segura: no quería enamorarme, no quería que me pasara lo mismo que me había pasado antes, y por la misma enfermedad dudaba mucho que César se fijara en mí en serio. Además, me daba miedo el hecho de que me llevara tantos años. También, que me ilusionara y después no quisiera nada conmigo. Me preguntaba una y otra vez cómo podía gustarle una persona así, si parecía un esqueleto.

Y entonces me cerré al amor y decidí dejar todo hasta allí. Además de no querer enamorarme, no quería que César supiera lo que me estaba sucediendo con mi enfermedad. Tenía mucho miedo. Así que para evitar enamorarme preferí alejarme. Lo sé, era una actitud muy inmadura de mi parte, pero no hallaba otra forma de cortar aquello.

Así, poco a poco dejé de escribirle y de hablar con él. No tuve la valentía de llamarlo o enviarle un mensaje explicándole lo que sucedía. Para mí era más fácil no dar la cara. Después de todo no éramos nada. Así, él me escribía y yo no le respondía. La verdad era que quería dedicarme a superarme y a salir de la enfermedad; era lo único que me importaba. Al pasar el tiempo, él dejó de llamarme, de escribirme y todo se acabó entre los dos.

Al pasar un tiempo comencé a mejorar. Había faltado mucho a clases y ya estaba poniéndome al día con todas las materias y dando pequeños pasos, estaba superando la anorexia. Poco a poco iba disminuyendo la cantidad de ejercicios que hacía, rebajé la dosis de laxantes, aunque no los dejé por completo porque sentía temor de que algo me sucediera si lo hacía, y comencé a comer un poco mejor. Incorporé grasa buena a mi alimentación, como aguacate y frutos secos. Aún comía pollo con brócoli o con lechuga porque me daba miedo comer otra cosa, pero había aumentado la cantidad de comida en mi plato. Aunque la voz en mi cabeza me dijera que no comiera, yo me mantenía firme y luchaba para no caer en su juego.

Reconciliación

> *No sé cómo comenzar este correo. Han pasado casi dos meses desde que dejé de hablarte, y la verdad te extraño. Me hacen mucha falta tus: "Buenos días, flaca", tu compañía en mis desayunos y a media mañana, así sea por teléfono.*

Han pasado muchas cosas desde que dejamos de hablar. Te escribo porque, aunque no lo sepas, me has ayudado mucho en este proceso en el que aún me encuentro. Has sido la única persona que ha estado allí para mí en todo momento.

¿Recuerdas las palabras que me dijiste aquella noche cuando salimos a cenar? Pues, bien, son palabras que jamás olvidaré, porque me llegaron al corazón para quedarse para siempre y fueron un motor que me impulsó a seguir adelante.

Siento que no me alcanzará la vida para agradecerte por todo lo que has hecho por mí y por ayudarme en todo esto.

También quiero decirte que eres alguien extraordinario y espero que estés bien y que todo lo que hagas te esté saliendo de maravilla. Espero que haya alguna oportunidad para poder vernos.

Gracias por ser tan especial conmigo.
Te quiero,

Rosangélica

Aquellas fueron las palabras que le envié a César por correo al pasar un mes y medio sin hablarnos. Cuando él me respondió, una sonrisa de oreja a oreja se dibujó en mi rostro. Abrí su correo:

Nada me alegra más que abrir mi correo y encontrar un mensaje tuyo. No sabes la alegría que siento al saber que todo está mejorando en tu vida y que ese problema que tienes lo has sabido manejar y superar poco a poco, como la mujer valiente que eres. Aunque no haya estado contigo durante este tiempo, me alegra saber que de alguna manera he podido ayudarte con esa situación por la que estás pasando.

Flaca, ¿por qué te perdiste? Te extraño, pero no seguí insistiéndote, pues no me respondiste más, simplemente te desapareciste.

Me vine a Miami. Quería decírtelo y despedirme de ti. Te quiero, pero no entiendo por qué apareces y luego te desapareces. No te miento al decir que quisiera verte pronto. Te mando muchos besos y abrazos. Sigue avanzando y mejorando e irradiando esa luz tan especial y única que tienes.

César

Cuando leí ese mensaje no pude evitar llorar. No lo podía creer. Se había ido a Miami. Sin embargo, a pesar de la distancia, comenzamos a hablar nuevamente y nuestra relación inició desde cero, empezando por la amistad.

Esa noche César me llamó y estuvimos hablando un largo rato. Me dijo que me fuera a Miami porque quería verme. Yo no lo pensé dos veces y fui a visitarlo. Me quedé por cinco días y allí nuevamente nació el amor entre los dos, aunque la verdad nunca terminó, porque aunque yo lo hubiese dejado, ese sentimiento seguía allí. Aunque era cierto que no estaba delirando por él, sí me estaba enamorando, por sus detalles, su ternura, su atención.

A César le encantaba la cocina y crear con la comida. Por ello eligió la profesión de cocinero. Cuando llegué a Miami, él me cocinó comidas muy sanas, pues yo quería comer todo sin grasas ni sal, totalmente *light,* y él sabía que así era como me gustaba la comida. Aún me daba miedo comer algo que no fuera pollo con brócoli porque pensaba que me iba a hacer daño. Pero César fue muy astuto. Nunca me decía nada sobre mi enfermedad, nada que pudiera causarme incomodidad o hacerme sentir mal, jamás me tocaba el tema ni me preguntaba nada, y yo nunca le mencioné que tenía esa enfermedad. Fue así como poco a poco, con su amor y sus palabras, me fue animando a seguir el camino que yo había tomado y a salir de esa oscuridad en la que me encontraba.

César siempre cocinaba para mí o me invitaba a comer y cuando esto último sucedía, lo único que yo pedía era pollo con lechuga. Entonces él, inteligentemente, pedía otro platillo y me decía que lo probara. Yo, con expresión aterrada, le decía que no reiteradas veces, pero él, en su terquedad, no aceptaba un "no" como respuesta y me insistía hasta que probaba lo que había pedido.

Durante esos días que estuvimos juntos, además de aconsejarme que tomara menos café, me hizo comidas que no me causarían ningún daño. Lo cierto es que él me enseñó a comer, y entonces aprendí que la comida puede ser sana y deliciosa más allá de un pollo con brócoli y que existen muchas variedades y sabores para disfrutar.

Así fue como poco a poco pude comenzar a comer distintas y deliciosas comidas y a tener de nuevo una vida normal. Con pequeños pasos, César logró que terminara de salir de la anorexia. Él fue una pieza fundamental en mi recuperación. Su paciencia fue la clave de todo en mi proceso de sanación y superación y siempre le estaré eternamente agradecida.

Uno de los días más felices de mi vida

César y yo comenzamos a tener una relación a distancia. Al principio yo viajaba seguido a Estados Unidos para verlo. Iba y venía de Venezuela. Así estuvimos por varios meses. Todo marchaba bien entre los dos. Yo ya estaba cambiando cosas en mi vida, deshaciéndome de los malos hábitos y recuperando mi peso. En mis estudios me estaba yendo bien y además de que ya comenzaba a comer mejor, no hacía tanto ejercicio como antes. Aunque aún me despertaba a las tres de la mañana a caminar.

Un fin de semana, como tantos otros, fui a visitarlo. Paseamos y, como siempre, me preparó comidas muy ricas y sanas. Ese domingo antes de irme salimos a almorzar. Una vez que llegamos al restaurante, de esos que llaman *"brunch"*, elegimos una comida del menú y esperamos a que el camarero tomara nuestra orden. Durante la espera noté a César algo ansioso. El ambiente se volvió algo tenso y su expresión era seria y serena.

—Rosangélica, quiero hablar contigo. Necesito decirte algo muy importante –Al escuchar aquellas palabras y ver su rostro, comencé a ponerme nerviosa.

—¿Qué pasa? –le pregunté. Él me tomó las manos con dulzura.

—Desde que nos conocimos me has parecido una mujer hermosa y encantadora. ¿Lo sabes, no?

—Sí, lo sé –dije sonriendo mientras apretaba su mano.

—Y sabes que me enamoré de ti por tu esencia, no por tu aspecto físico.

—También lo sé –respondí mientras mis ojos se iluminaban y mi corazón comenzaba a latir fuertemente al escuchar aquellas palabras, las mismas que habían dejado una marca en mi corazón.

—No quiero que te vayas. Te necesito. Te quiero en mi vida. Quédate conmigo. Tú eres la mujer de mi vida y quiero una familia contigo. Por favor, quédate. Yo no soy ningún niño. Yo soy un hombre de 38 años, estoy divorciado, y tengo un hijo. Tengo claro qué es lo que quiero en mi vida. Yo te amo y no quiero seguir con una relación a distancia. Si tú quieres un juego, pues tengamos un juego, pero no quiero eso. No quiero jugar contigo. Bastante jugué en mi vida. Quiero estabilidad. Por eso necesito saber si quieres estar conmigo de verdad y tener una relación sin distancias que nos separen. Si tú decides quedarte conmigo, te prometo que no te va a faltar nada. Prometo amarte y respetarte por el resto de mi vida. Pero si no, prefiero que te vayas y no vuelvas más, porque me estás haciendo daño con todo esto.

Al escuchar aquellas palabras, mi corazón se estremeció y quedé paralizada debido a la emoción que embargó todo mi ser. Mis ojos empezaron a llenarse de lágrimas y comencé a llorar sin parar. Yo sentía que él era el hombre de mi vida, con quien debía estar, y eso mismo le expresé una vez que dejé de llorar. Le dije que no quería jugar con él y que mi corazón le pertenecía por completo.

Cambios y más cambios. Nueva vida

César había pasado por un divorcio y tenía un hijo: Sebastián. Después de una experiencia como esa es duro recomponerse. Y yo sabía que estaba hablando en serio y que no quería lastimarme. Él es una persona que no se esconde de nada, sino que afronta con valentía los problemas y los obstáculos que se le presentan.

Así, luego de un año y medio conquistándome, tomé la decisión de quedarme a su lado. Él habló con mis padres y a los dos meses fuimos a Venezuela para que ellos lo conocieran. Entonces empezamos a vivir juntos y fue el comienzo de una nueva vida para mí. Me sentía muy feliz con él y todo estaba cambiando para bien. Aquel había sido uno de los mejores cambios que había hecho en mi vida. En Venezuela tenía todas las cosas materiales que necesitaba, pero en Miami, junto a César, tenía la felicidad y la plenitud que tanto me hacían falta. Y es que con él jamás me sentía sola, triste o desamparada. Por el contrario, todos los días a su lado eran especiales, llenos de risas y cariño. Él llenaba todos mis vacíos y me ofrecía amor y felicidad a cambio de nada. Con él me sentía plena y a su lado nada me faltaba. Estaba completa.

La verdad es que, por cobardía o protección, había ocultado el amor que siempre sentí por César, alejándome e inventando miles de excusas, pero lo cierto es que con su amor, con sus detalles, con su cariño, ese hombre me fue enamorando poco a poco. Con su paciencia y su inteligencia logró lo que él quería.

Mejorando cada vez más

Con respecto a mi lucha interna contra la anorexia, aún seguía tomando mis pastillas, pero la dosis era cada vez menor. Y seguía levantándome a las tres de la mañana para ir a caminar. César me decía que no era normal que saliera a caminar a esa hora y me sugería hacerlo a las cinco, ya que era una hora aceptable, pues ya comenzaba a amanecer y se veía gente en la calle.

Así, poco a poco pude ir modificando la hora de salir a caminar. No caminaba a las tres, ni a las cuatro sino a las cinco de la mañana. Por lo tanto, ya no me levantaba a las tres, no desayunaba a las cinco, sino a las seis, junto a César, quien siempre me acompañaba. No almorzaba a las once y media de la mañana, sino a las dos de la tarde. Y no me dormía a las siete de la noche. Poco a poco mis hábitos alimenticios cambiaron por completo y gracias a esos pequeños cambios comenzaron a surgir nuevos hábitos en mí. No solo consumía más cantidad de comida e incorporaba diferentes y nuevos alimentos a mi dieta, sino que, además de comer a una hora distinta a la que estaba acostumbrada, ya no estaba tan pendiente de comer puntualmente, ni de lo que comía.

Respecto al ejercicio, seguía entrenando, pero no al mismo ritmo que antes, ya que cada vez hacía menos ejercicio y, en vez de centrarme en la cantidad, le ponía atención a la calidad, pues lo importante era seguir una rutina de entrenamiento para estar sana y no sobresforzarme.

De esta manera, fui rompiendo con todo aquello a lo que estaba acostumbrada. Y me adapté a mi nueva vida muy rápido. Ya mi mundo no giraba en torno a la comida y al ejercicio; estaba consciente de que ahora vivía con un hombre, así que debía centrarme en otras prioridades y estas lo incluían a él.

Tormenta en mi cabeza

Al pasar el tiempo, disminuí nuevamente la dosis de laxantes, ya no me tomaba dos pastillas sino una, pero no los terminaba de dejar de una vez por todas. Aquella voz seguía en mi cabeza atormentándome, una voz que continuamente me decía que estaba haciendo las cosas mal, que no debía comer ni dejar de hacer ejercicio como antes y que siguiera con mi enfermedad porque me veía hermosa. Por otra parte, había otra voz que me decía que iba por buen camino y que me estaba recuperando poco a poco. Así, me hallaba en una constante guerra entre la voz del diablito y la voz de Dios.

Me estaba volviendo loca. Yo quería callar mi mente, pero no sabía cómo hacerlo. Cuando estaba tranquila, sin pensar en la comida ni en las benditas calorías que había consumido, me daban ganas de tomarme los laxantes para botar todo lo que había comido. Era realmente horrible. Y así estuve por seis meses, tratando de callar esa voz, pero nunca supe cómo. Fue muy difícil ese proceso de superar mi enfermedad y recuperarme por completo debido al control que la voz del diablito seguía teniendo sobre mí. Ya estaba comiendo bien y haciendo una rutina de ejercicios saludable, pero aún me faltaba dejar los laxantes. Y eso me impedía ser libre.

Quería ser libre, dejar de comprar cajas y cajas de laxantes y no tomarlos más nunca. Era muy frustrante el hecho de que a pesar de que quería ser libre de la anorexia, no lo era del todo porque seguía con las pastillas. A veces me preguntaba si de verdad sería capaz de dejarlos...

Un regalo de Dios

Una de las razones por las que César me enamoró fue por su comida. Siempre me preparaba *platillos* deliciosos y muy sanos, sin sal, pues sabía que yo comía bajo en sal. Por eso poco a poco pude ir recuperando mi peso normal y fue allí cuando me sentí preparada para tener relaciones con él. Mientras estuve luchando por salir de la anorexia no quise que él viera mi cuerpo como realmente era, pues eso me hacía sentir muy incómoda y avergonzada.

Una mañana, al despertarme, sentí muchas náuseas. No sospechaba qué me pasaba. Fui al baño y vomité. Pero ¿por qué había sucedido eso? Era muy extraño. Ni siquiera teniendo anorexia había vomitado y la comida de César nunca me había caído mal. Era tan sana que era imposible que eso sucediera. Entonces un pensamiento vino a mi mente y mis ojos se iluminaron. Mi corazón comenzó a latir rápidamente al pensar que podía estar embarazada.

Salí del baño en silencio. César aún dormía y no quería despertarlo. Decidí ir a la farmacia en seguida a comprar una prueba de embarazo, sin siquiera ir a caminar ni desayunar. Me sentía demasiado ansiosa por saber pronto el resultado. Al llegar a casa me hice la prueba. Los minutos de espera se me hicieron eternos. Con cada minuto que pasaba mis nervios aumentaban y temblaba sin parar.

Finalmente, el resultado apareció en el pequeño aparato: positivo. De la impresión, el *test* se me cayó al piso. Me quedé sentada unos minutos en el baño, pensando qué haría ahora y comencé a llorar. Tenía una mezcla de emociones en ese momento: por un lado, sentía una felicidad inmensa por tener un hijo creciendo en mi vientre; aquella noticia era maravillosa y la verdad había sido totalmente inesperada para mí. Pero por otro lado tenía mucho miedo porque, a pesar de que recién estaba saliendo de mi enfermedad, seguía tomando los laxantes. Sin embargo, ese día decidí que los dejaría para siempre. Apenas era el comienzo de una vida sana para mí. Recordé que los doctores me dijeron que iba a ser difícil tener hijos debido a todo lo que había vivido. Por eso tenía miedo de que mi primer hijo viniera con una enfermedad o que le sucediera algo malo durante el embarazo.

César y yo comenzamos a pedirle todos los días a Dios. Nos arrodillábamos y hablábamos con Él. Le pedíamos que nuestro hijo viniera sano y con eso, mi decisión de ser libre me llevó a tener una paz y una tranquilidad que jamás había experimentado en mi vida. Me sentía muy bien con la decisión de dejar las pastillas porque sabía que las ataduras de la anorexia ya no me iban a atormentar más. Pronto comencé a incorporar deliciosas comidas a mi dieta diaria que no había probado desde hacía mucho tiempo, como la rica carne roja.

Y todo fue gracias a Dios y a César, un ángel a quien Él envió a mi vida para que me ayudara a salir de mi enfermedad, para cuidarme y amarme. Con él me sentía protegida y tenía todo el amor que deseaba y que había necesitado y buscado por tanto tiempo.

El nacimiento de mi primera hija: Isabella

Luego de un año y medio de lucha, ya había vencido la anorexia por completo cuando nació mi hija. Gracias a Dios llegó sana y hermosa. Cuando la vi por primera vez no pude evitar llorar de la inmensa felicidad que sentí. Era perfecta, mi bello rayito de sol. Era tan chiquita, tan frágil y hermosa. Sus dulces ojitos me miraban llenos de amor y supe que con ella a mi lado no me faltaría nada.

Después de la tormenta salió el arcoíris. Y por fin, después de tanto sufrimiento, la vida me sonreía nuevamente. Ya había superado esa enfermedad que me ató y me aisló por tanto tiempo, la que me hizo sentir tan sola, vacía y deprimida.

Ahora sonreía de verdad y miraba al cielo todos los días, agradeciéndole a Dios por la segunda oportunidad que me había dado. Ahora tenía todo lo que siempre había deseado. Mis sueños por fin se hacían realidad. Ahora era feliz.

La esencia es el verdadero amor

Para Rosangélica:

Rosangélica, mi amor, quiero dedicarte estas líneas para que queden por siempre en tu memoria y las guardes en tu corazón.

Cuando te conocí supe el gran valor y el enorme potencial que tenías para lograr todo lo que te propusieras en la vida. Más allá de tu físico, vi tu luz, tu amor, tu alegría y carisma, tu esencia, y todo lo que tenías para dar al mundo.

A pesar de no haber sospechado nunca de tu enfermedad, sé cuánto sufriste y cuánto luchaste por salir de ella. En esa lucha en la que estuve contigo, aunque tú no me vieras, vi tu fortaleza, tu entrega, y cómo paulatinamente recuperabas tu seguridad como mujer y tu autoestima. En ese proceso de sanación me fui enamorando más y más de ti, pues no hay nada más bello y sexy en una mujer que la seguridad en sí misma. Eso es mucho más fuerte que su aspecto físico, su clase social o su nivel de educación.

También vi tu amor propio, porque gracias a este último, junto al inmenso amor que te tenemos tus padres y yo, lograste vencer la anorexia. Y ahora te pido que guardes estas palabras y las recuerdes todos los días: el primer y más importante amor debe ser el propio. Es imposible amar, valorar o respetar a otra persona si no lo hacemos con nosotros mismos.

Recuerda que te amo infinitamente, y que siempre estaré a tu lado pase lo que pase.

César.

Ejercicios prácticos

¿Quién eres? ¿Te lo has preguntado alguna vez?

CAPÍTULO **3**

VOCES DE AMOR

l té no sabía como siempre. Tenía un ligero sabor amargo, a tristeza, a culpa, a remordimiento de cons- ciencia. Nos mirábamos de vez en cuando, sinvernos
realmente, sino, más bien, en un intento por tranquilizarnos el uno al otro. Pero era inútil. La desesperación y la culpa nos carcomían. Nos sentíamos avergonzados.

Dejé la taza sobre la mesa y una lágrima rodó por mi mejilla. Luego de aquel estremecedor silencio que se había formado entre ambos, me dispuse a continuar la conversación que teníamos esa tarde en la sala:

—¿Qué haremos con nuestra hija? Ella nos necesita más que nunca. No está bien. Está muy enferma. Cada día pierde más y más peso y está demasiado delgada.

—Lo sé, lo sé. Ya no almuerza en familia con nosotros como antes lo hacía. Además está muy triste. Creo que también tiene depresión. Antes llegaba a la casa muy feliz y con mucho entusiasmo. Esa magia y ese amor que emanaban de ella y que tanto la identificaban se han ido apagando poco a poco. Pienso que la depresión la ha llevado a dejar de comer, y creo que siente mucha nostalgia al no tener a sus hermanas cerca, pues con ellas compartía bastante y eran muy cercanas. Desde que se fueron a estudiar al exterior, Rosa no es la misma. Quizá la soledad fue la que la llevó a caer en una depresión excesiva.

—Y poco a poco se ha ido alejando de nosotros. Ya no nos cuenta nada ni comparte con nosotros. Cuando queremos compartir con ella como familia, nos ignora, se encierra en su cuarto y no nos dirige la palabra el resto del día.

—Está totalmente aislada de todo el mundo. Además, se volvió muy fría y grosera, hasta arrogante. Ahora contesta por todo y sus comentarios son tajantes e incluso hirientes. Esto no puede seguir así. Debemos hablar con ella.

Es por tu bien

—¡¿Al psicólogo y al internista?! ¡No iré! Yo estoy bien. Dejen el fastidio –dijo ella molesta cruzándose de brazos y bajándose de la báscula.

—No, no estás bien, Rosangélica. Estás muy delgada y la ropa te queda enorme –dije un poco alterada por su respuesta–. ¿Acaso no ves el número que marca la báscula? Mira. Míralo. ¡Estás esquelética! ¡44 kilos! ¡Ese es el peso de una niña, no de una mujer, por Dios! –hice una pausa y ella rodó los ojos. Sin embargo, las lágrimas la invadieron. Yo continué–: Cómo es posible que estés así de flaca si tú lo tienes todo en esta vida y jamás te ha faltado nada.

—¡Déjame! A mí me gusta como estoy. Me siento feliz así y quiero estar más delgada –respondió de manera rebelde.

—Rosa, hija, entiende que tu salud se está deteriorando cada vez más, y que nos tienes muy preocupados. Ya no hablas con nosotros, no nos cuentas nada. Te la pasas encerrada en tu habitación. No comes ni compartes con nadie. Estás alejada de tu familia y de tus amigos. ¿Qué está pasando? –dijo muy angustiado su padre.

Ambos miramos a nuestra hija a los ojos, y por un momento pude notar un estremecimiento en ella ante nuestras palabras, pero luego su mirada fría volvió.

—No me pasa nada, estoy bien –dijo secamente.

—Tu rechazo constante nos causa mucha tristeza. ¿Qué tienes, hija?, ¿qué está sucediendo? Sabes que puedes hablar con nosotros de lo que sea, ¿verdad? –dijo su padre con dulzura.

Pero ella seguía en silencio, sin decir ninguna palabra, totalmente impávida ante nuestro dolor.

—Es por tus hermanas, ¿no es así? ¿Te sientes muy sola? Te hemos notado muy triste últimamente. O tal vez es por la ruptura con tu exnovio. ¿Aún te afecta que hayan terminado, hija?

—¡Ya les dije que no tengo nada! ¡Dejen el fastidio! ¡Estoy bien!

—No nos hables así, Rosangélica. Irás al médico quieras o no y punto final. Además, te pesaremos todos los días y más vale que subas de peso –sentencié molesta para luego salir de su habitación con su padre.

Cuánto dolor sentíamos cada vez que nos hablaba de esa manera. Sin embargo, no podíamos ponernos a su nivel emocional, por lo que procurábamos mantener la calma, pero era muy difícil, y toda esa situación nos estaba destruyendo por dentro.

Anorexia

Anorexia. Ese fue el diagnóstico que nos dieron aquel día en el consultorio de la internista. No podíamos creerlo. Estábamos impactados. Pensábamos que la doctora nos diría que Rosangélica tenía depresión y que por eso estaba tan delgada. Jamás imaginamos que nuestra hija tenía anorexia nerviosa, y mucho menos que su estado era tan grave. Estábamos destrozados por todo lo que le estaba sucediendo a nuestra pequeña. Y verla en ese estado nos partía el corazón; estábamos completamente rotos.

Aquella Rosa de vivos e intensos colores se había marchitado por completo. De una Rosa muy alegre, comunicativa y fiel creyente en Dios y en la oración, solo quedaban espinas y pétalos marchitos dueños de una personalidad agria, rebelde y triste. Esa dulce mujer que irradiaba la luz más brillante y hermosa que nuestros ojos hayan podido ver, ahora se había apagado por completo. Ya no escuchaba nuestros consejos, y no solo se había alejado de nosotros y de sus amigos, sino de Dios.

Con el paso del tiempo, ella se encerró en sí misma y en su enfermedad. Pero nosotros no la dejábamos sola nunca. Cada día era un reto nuevo, y a pesar de nuestra preocupación y tristeza, siempre estábamos allí para ella, y ante todo estaba Dios. Jamás dejamos de arrodillarnos ante Él para pedirle por ella y para que nos diera la fortaleza que necesitábamos en esos momentos tan duros.

En nuestra angustia y desesperación por ayudarla, comenzamos a vigilarla a cada rato para ver qué hacía y si comía. Botamos sus laxantes, la llevamos a diferentes médicos, entre ellos al ginecólogo, al nutricionista, a la psicóloga y al psiquiatra. Por recomendación de los mismos médicos, la internamos en una clínica de trastornos alimentarios por una semana. También le pedimos a la señora María Cruz que almorzara con ella y se cerciorara de que se terminara toda su comida y se tomara el tratamiento que le había mandado la psicóloga.

Incluso le compramos una báscula para pesarla diariamente. Al principio pensamos que todo estaba resultando bien, pues aunque los primeros días no aumentara de peso, estaba comiendo y tomando su tratamiento, o eso creíamos.

Sin embargo, al pasar varias semanas nos dimos cuenta de que todo había sido una farsa. Rosangélica seguía mintiéndonos, y ahora su peso era cada vez más bajo. Estaba retrocediendo. Y nosotros ya no sabíamos qué hacer. Nuestras lágrimas caían incesantes y el dolor que embargaba nuestra alma era tan horrible que a veces pensábamos que nos ahogaríamos en él. Pero debíamos ser fuertes por nuestra hija, porque si no hacíamos algo pronto, iba a morir.

Desesperados y alarmados, comenzamos a preguntarle qué le sucedía, por qué no comía, y la obligamos a comer. Pero ella seguía con su corazón cerrado y duro como una piedra. No se abría ni nos contaba nada. Seguía siendo la misma rebelde, contestándonos de mala gana y haciendo lo que quería, cuando quería. No solo no comía y nos irrespetaba a nosotros y a Dios, sino que había tomado la decisión de dejar los estudios.

Encomendándonos a Dios

Una noche, muy tarde, entré a la habitación de Rosa para darle un beso de buenas noches, pues como ella se dormía a las siete, no quería que me viera. Ella dormía profundamente. Al acercarme un poco para abrazarla y besarla, me detuve en seco. Un escalofrío me recorrió todo el cuerpo y mi piel se erizó por completo mientras mis ojos se llenaban de lágrimas. Ella estaba de espaldas a mí. Tenía una camisa sin mangas y un *short* que le quedaba grande, enorme. Mi cuerpo comenzó a temblar sin parar y yo aguanté las ganas de gritar.

Era tan horrible lo que mis ojos presenciaban que quedé totalmente paralizada y en estado de *shock*. Noté una figura con un estado de desnutrición muy avanzado. Los huesos sobresalían de su cuerpo, uno que ahora pesaba tan solo 35 kilos. Ver así a mi niña, a un ser que amo con toda mi alma, me afectó tanto, al punto de sentir que me clavaban un puñal en el corazón, o como si me arrancaran una extremidad. Me senté a un lado de su cama y comencé a hacerle caricias en su cabeza y a orar por ella. No pude evitar llorar. Me desgarraba verla así.

Fue muy difícil lidiar con esa tristeza y agonía. Pero fue en ese momento determinante cuando mi esposo y yo nos arrodillamos en el piso, al pie de nuestra cama y clamamos, suplicándole a Dios que sanara a nuestra hija para verla de nuevo feliz, enaltecida y fortalecida, recuperada de esa trágica enfermedad para que volviera a ser la maravillosa mujer que es.

Ese momento fue un punto clave en todo este duro proceso, pues gracias al clamor a través de la oración, a nuestra fe, paciencia y fortaleza espiritual, fuimos restaurados por Dios. Porque, además de sanar a nuestra hija, también nos sanó a nosotros por medio de la enfermedad de Rosa, y nos hizo entender nuevamente que tiene el control sobre todas las cosas, que cada día es un regalo, y que a veces en el camino de la vida Él nos pone pruebas que debemos superar, y esta fue una de ellas, la cual gracias a su inmenso amor y bondad pudimos superar los tres con éxito.

Gratitud hacia Dios

Decir que nuestra deuda con Dios ha sido pagada, sería mentir. Nunca nos cansaremos de agradecerle por todo lo que hizo por nuestra hija, por haberla sanado de esta enfermedad tan terrible y salvado de la muerte. Para Él no existen palabras de agradecimiento como tal, y nuestra forma de mostrarle la inmensa gratitud que sentimos es adorándolo con alabanzas, poniendo en práctica su Palabra a través de grandes obras y acciones para con el prójimo, amándolo por medio de nuestras actitudes, y enalteciendo sus creencias a través del amor.

Aprendizaje

Nada en la vida es casual. Todo sucede por una razón. El hecho de que Rosangélica haya padecido esta enfermedad causó en nosotros, como familia, una profunda transformación; un gran cambio y crecimiento espiritual. Nuestra hija pudo volver a acercarse a Dios y a la oración, y a estar siempre en comunión con Él.

Como padres, este proceso nos cambió totalmente la vida desde lo más profundo de nuestro ser. Fue un aprendizaje muy duro, uno que nos hizo llegar a nuestro límite y sacar fuerzas de donde no había para poder continuar. Por otra parte, esta situación hizo que nos uniéramos más como familia a través del amor.

Desde el punto de vista espiritual, esta dura prueba fue para nosotros un gran testimonio de vida, ya que nuestra creencia se hizo tangible al comprobar que a través de la oración, y por medio de nuestra fe, Dios obró al hacer que nuestra hija superara la anorexia y volviera a florecer más encantadora y hermosa que nunca.

Dios siempre está con nosotros

En las buenas y en las malas, Dios siempre ha estado y estará con nosotros. Mi familia es creyente en Dios y camina tomada de su mano. Todos los días lo adoramos y lo honramos, aunque estemos pasando por nuestro peor momento, como fue la enfermedad de Rosangélica.

Ante situaciones adversas, cuando nuestras esperanzas se desvanecen, y no logramos ver la luz al final del túnel, debemos mantener la frente en alto en todo momento y no perder la fe bajo ninguna circunstancia, pues eso hará que nos hundamos más y más en la desesperación y la tristeza.

La anorexia es una lucha espiritual y mental. Por ello hay que encomendarse a Dios y ser muy unidos como familia, darle muchísimo amor a la persona que está cruzando por ese mar turbulento. El apoyo en estos casos es fundamental, y este proceso se trata de no rendirse nunca, de no agachar la cabeza jamás.

Si algo aprendimos de esta batalla con Rosangélica, es que por más largo que sea el camino, por más fuerte que sea la tormenta, vale la pena luchar cada día y sonreírle a la vida. Aunque tengamos ganas de rendirnos en ciertas circunstancias, el amor hacia nuestro ser querido será más fuerte que la enfermedad. El amor de los padres, amigos y personas cercanas a ese ser querido será crucial en el proceso de lucha contra la enfermedad, y más importante que cualquier cosa es encomendar a Dios todas las oraciones y seguir en pie de guerra.

Durante el proceso de vencer esta enfermedad se aprende mucho. Nosotros no somos los mismos que éramos antes de pasar por él. Cambiamos y mejoramos como familia. Nos volvimos más unidos, e individualmente nos convertimos en mejores personas también. Además de eso, entendimos que el amor es lo más fuerte que puede existir, es lo que nos mueve y hace al mundo girar. Y sabemos que, por amor a nuestra familia, seremos y podremos con todo obstáculo que se nos presente.

Palabras de mi madre (Carmen) desde el principio de mi enfermedad hasta el día presente

Antes de que empezaran a notarse los síntomas de anorexia en mi hija, tenía un leve presentimiento de que algo no andaba bien con ella, pues estaba más delgada cada día. Además de eso, a pesar de ser muy unidas, ella se fue alejando de mí, pero me dije a mí misma que eso era normal, pues en casa teníamos muchos problemas en ese entonces.

Recibir la noticia de que mi hija tenía anorexia fue algo muy doloroso para mí. Nunca había sentido tanta tristeza, las lágrimas inundaban mi pensamiento y en ese momento solo rompí a llorar y la abracé tan fuerte como pude. "No, a mi gorda no", decía desesperada una y otra vez mientras mi voz se volvía más aguda y más ronca, hasta convertirse en un hilo. Sentí que me iba a desmayar, se me iban las fuerzas y perdí los estribos. Lo cierto es que me hallaba en la situación más difícil de mi vida, porque al ver a mi hija en esa condición me rompió en tantas partes que no encontraba fuerzas para reconstruirme.

Pero Dios es más grande que este mundo y, gracias a esta prueba que Él puso en nuestro camino nos unimos como familia y enfrentamos la terrible situación. Individualmente yo recobré fuerzas y sabía que Rosangélica me necesitaba más que nunca. El corazón me decía una y otra vez, tras cada latido, que todo estaría bien, y que yo debía ser fuerte. Recuerdo que el día que le diagnosticaron anorexia a nuestra hija, mi esposo y yo le escribimos una carta. En ella le jurábamos que la ayudaríamos a salir de la enfermedad y le brindábamos toda nuestra fuerza, apoyo y, sobre todo, amor. No teníamos fuerzas para decirle lo que nuestros corazones gritaban, lo que nuestro dolor callaba. Así que se la dejamos en su cama para que la leyera cuando estuviera a solas. Como toda guerra, el comienzo fue lo más difícil. Aceptar que mi hija estaba enferma fue muy duro, pero jamás me rendí. Me dije a mí misma que debía ser fuerte en el proceso porque sabía que yo era su faro y su fuerza. No podía dejarme doblegar por las circunstancias. Y luché como una guerrera cada día. Iba de la mano con ella en cada paso y en cada tropiezo. Estuve ahí siempre, y yo más que nadie entendía que aquella era una situación muy difícil. Pero como su madre no acepté la derrota ni un segundo; sabía que mi niña podría con esto y mucho más. Recuerdo cuando estuve embarazada de ella como si fuera ayer. Aún puedo revivir esos leves momentos cuando sentía sus pataditas dentro de mí; solía moverse más de la cuenta y los síntomas eran fuertes, pero es que solo una madre entendería estas líneas. Me enamoré de ella antes de verla llegar a este mundo, nadie como yo sabría entenderla mejor. Recuerdo ese maravilloso día cuando nació y me hizo la mujer más feliz de este universo. Aquel momento fue mágico, y no existen palabras para describir lo que sentí al verla y al escuchar sus primeros gritos. También acuden a mi memoria, como si fuera justo ahora, sus primeros parpadeos y esos hoyuelos en sus mejillas que la hacían ver aún más hermosa de lo que ya era, así como sus primeros pasos. Cómo olvidarlos. Rosangélica parecía un tren a toda marcha que se caía y volvía a su carril. Me enamoraba inmensurablemente cada día, era toda una guerrera. Y cómo olvidar sus primeros dientitos. Esa fue la mejor parte, ver su primera sonrisa, la cual, desde aquel entonces hasta el día de hoy me tiene totalmente embelesada y llena de amor, como solo una madre podría entenderlo.

Ella siempre ha tenido esa fuerza y esa chispa que tanto la caracterizan. Es una increíble persona, la mejor que conozco, pero sobre todo una gran mujer. Hoy en día merece admiración, pues ha salido adelante a pesar de todas las adversidades y situaciones tan terribles por las que ha pasado. Es la persona más valiente que conozco, siempre lo ha sido, y gracias a Dios hoy goza de buena salud. Ella ha sido luz para las personas que la rodean. Con su actitud, perseverancia y, sobre todo, el amor que transmite a todo el mundo, ilumina a todos a su alrededor. Y eso me hace sentir más orgullosa que nunca de ser su madre, su amiga y compañera del alma. Ella sabe que la amo con todas mis fuerzas, con toda mi alma y todo mi ser. Desde su primer latido, hasta el día de hoy, ella es consciente de que es el amor de mi vida, y que siempre seré su compañera para toda la vida.

Palabras que quedarán grabadas para tu futuro

Querida hija:

El día que llegue la vejez a mi puerta, te pido por favor que tengas paciencia, pero sobre todo, que trates de entenderme. Si cuando hablemos repito lo mismo mil veces, no me interrumpas para decirme: "Eso ya me lo contaste". Solamente escúchame, por favor, y recuerda los tiempos en que eras una niña y yo te leía la misma historia, noche tras noche, hasta que te quedabas dormida.

Cuando no me quiera bañar, no me regañes, y por favor, no trates de avergonzarme. Solamente recuerda las veces que yo tuve que perseguirte con miles de excusas para que te bañaras cuando eras niña.

Cuando veas mi ignorancia ante la nueva tecnología, dame el tiempo necesario para aprender, y por favor, no hagas esos ojos ni caras de desesperada. Recuerda, mi querida hija, que yo te enseñé a hacer muchas cosas como comer apropiadamente, vestirte y peinarte por ti misma, así como lidiar y afrontar los problemas y situaciones de la vida.

El día que notes que me estoy volviendo vieja, por favor, ten paciencia conmigo, y sobre todo, trata de entenderme. Si ocasionalmente pierdo la memoria o el hilo de la conversación, dame el tiempo necesario para recordar, y si no puedo, no te pongas nerviosa, impaciente o arrogante. Solamente ten presente en tu corazón que lo más importante para mí es estar contigo y que me escuches.

Y cuando mis cansadas y viejas piernas no me dejen caminar como antes, dame tu mano, de la misma manera que yo te ofrecí la mía cuando diste tus primeros pasos. Cuando estos días vengan, no debes sentirte triste o incompetente al verme así. Solo te pido que estés conmigo, que trates de entenderme y ayudarme mientras llego al final de mi vida con amor y con gran cariño por el regalo del tiempo y de la vida que tuvimos la dicha de compartir juntas. Te lo agradeceré eternamente.

Con una enorme sonrisa y con el inmenso amor que siempre te he tenido, solo quiero decirte que te amo, mi querida hija.

Con amor, tu madre.

Palabras de mi padre (Hernán)
Desde el inicio de mi enfermedad hasta el día presente

Desde el primer instante que supe que mi hija estaba enferma de anorexia fue una puñalada al corazón, fue un golpe bajo que me hirió como nada lo había hecho antes. La verdad es que demoré bastante en digerir la noticia. Sin embargo, al darme cuenta de que me encontraba sumergido en esa situación, sentí que cada parte de mí se desmoronaba junto con mi alma mientras la preocupación y la angustia se apoderaban por completo de mi ser.

No sabía qué hacer al respecto. Luchaba día a día por curarla, brindándole todo el amor que un padre puede darle a su hija, orando y siendo paciente, pero no podía quedarme de brazos cruzados y llorar. Sabía que ella necesitaba mi mejor versión. Por ello, a pesar de estar cayéndome a pedazos al verla así, siempre trataba de expresarle calma y una sonrisa que le mostraran que todo estaría bien y que no estaba sola. Pero a veces era muy difícil aparentar que todo estaba bien. Sentía un enorme vacío en mi pecho cada día al volver a casa del trabajo; en el camino de regreso a mi hogar no podía dejar de pensar en ella. Recordaba cuando caminábamos por la acera y siempre llevaba esa chispa que tanto la identificaba, tan distinta a la que fue mientras estuvo enferma.

Su sonrisa era un sol, el más radiante que mis ojos hubieran visto jamás. Cuando Rosa era tan solo una niña, cada mañana al salir el sol me despertaba y me dirigía a su habitación. Me quedaba un largo rato contemplándola y luego le daba un beso en la mejilla al verla dormir tan lejana. Su ternura me mataba por completo, y admiraba cada segundo de esas mañanas eternas mientras ella dormía.

De niña siempre observaba la luna en las noches; la contemplaba totalmente embelesada durante horas, y me decía que quería llegar a tocarla. Por más fugaz que eso suene, era tierno escucharla decir esas cosas, y me llenaba de energía cuando estaba agotado.

Por su manera de ser y de pensar, siempre me he sentido muy orgulloso de ser su padre. Hasta el día de hoy sigo pensando que no cabe en ningún esquema expresivo describir el amor que se siente por un hijo; es algo que se sale de este universo. Y es increíble cómo todo ese amor cabe en un abrazo. Recuerdo que cuando Rosangélica nació, podía sostener ese frágil y puro amor en la palma de mi mano al sentir sus primeros latidos. A medida que pasaban los años, se volvía más y más hermosa, y su sonrisa siempre estaba presente en ella, hasta en los momentos más difíciles. La luz que irradiaba su ser nos llenaba de mucha paz, y su amor rodeaba nuestro hogar. Al desaparecer su esencia, me prometí que cada día lucharía por ver su sonrisa florecer nuevamente.

El proceso de esta enfermedad me mostró nuevas maneras de ser padre y de ser mejor cada día. También me enseñó, entre tantas cosas, que el amor de un padre por una hija es eterno y no se compara con nada del mundo.

Quisiera expresar cómo me siento al verla sonreír hoy en día, pero es algo que se sale de este mundo, es la mejor sensación que puede existir. Saber que mi hija vive luego de haber vencido la anorexia como la guerrera que es, y que sigue siendo esa maravillosa mujer de siempre, me fortalece día a día. Estoy muy orgulloso de ella, de ser su padre, su amigo y compañero incondicional. Ella sabe cuánto la amo y que siempre será la luz de mis ojos, y eso nada podrá cambiarlo. También es consciente de que este proceso nos hizo nacer nuevamente, y ahora nada nos separará, pues estamos más unidos que nunca por el amor y el gran cambio que experimentamos.

¡Te amo, hija!

CAPÍTULO **4**

METAMORFOSIS

Mucha gente piensa que la anorexia nerviosa
o cualquier otro desorden alimenticio
es una obsesión por querer ser delgado.
Pero si investigas y profundizas,
verás que es algo mucho más complejo.
Es algo que va más allá de mirarte en el espejo...

ROSANGÉLICA BARROETA

"No estoy enferma. No estoy enferma", pensaba mientras me encontraba en esa gélida habitación. Tenía mucho frío. Todo mi cuerpo temblaba. Estaba desnuda; solo una bata blanca me cubría. Mis dientes castañeaban sin parar. Me abracé a mí misma mientras pensaba en cómo escapar de allí. No era justo que mis padres y los doctores me estuvieran haciendo esto. Debía hacer algo. No podía quedarme allí. Me iban a matar. Me darían tanta comida que me inflaría como un globo y explotaría.

"No, no. No quiero eso. ¿Por qué me hacen esto a mí?", pensé mientras mis lágrimas comenzaban a descender de mis ojos y caían al suelo. Ya no tenía fuerzas para mantenerme en pie, así que me apoyé contra la pared y fui descendiendo hasta quedar sentada en el suelo. Me quedé allí, inmóvil, mientras mi respiración se volvía agitada y mi corazón casi se salía de mi pecho.

¿Voy a morir aquí? ¿Este es el final de mi vida?

Podrías morir

Una semana antes

—Rosa, tus padres y yo queremos hablar contigo –dijo la internista con una mirada seria.

—¿Qué sucede ahora? –pregunté fastidiada– ¿Me van a decir que me voy a morir? Eso es lo que falta que me digan –dije de manera irónica. Lo cierto es que había perdido la cuenta de cuántas veces llevaba yendo a la internista, y ya estaba cansada de todo eso. Ella no me ayudaba en nada, y yo perdía mi tiempo en ese lugar. No sé qué quería de mí.

—Rosa, te he venido tratando durante un tiempo, y no he visto mejoría en ti. Has perdido demasiado peso. Quiero ayudarte, pero si tú no te dejas será muy difícil. Entiende que estás enferma y que si no sales de esto vas a morir. Por eso, junto con tus padres, he decidido internarte en un hospital para que puedas recuperarte.

—¿Que qué? ¿Internarme? Pero yo estoy bien. No hay necesidad de internarme. Mamá, papá, díganle a esta doctora que está loca y que no debe internarme –dije un poco desesperada. La verdad es que comenzaba a ponerme muy nerviosa con todo este asunto.

—Hija, lo siento, pero haremos lo que la doctora nos dice. Estás muy enferma, ¿no ves que te puedes morir? –dijo mi madre llena de lágrimas.

—Es por tu bien, hija. Queremos verte sana otra vez para que puedas mostrar de nuevo esa sonrisa que te hace única y que hoy se ha perdido al igual que tu luz –dijo mi papá muy afligido.

—Bueno, si me internan me voy a escapar, porque ustedes quieren que yo me muera –respondí molesta.

—No te vas a escapar, Rosa. Vas a estar bien y nosotros te vamos a ayudar –expresó la doctora.

—No iré. De ninguna manera. Deberán llevarme a rastras –respondí obstinada.

Internada

—Rosangélica, ¿sabes por qué estás aquí? ¿Sabes por qué te vamos a internar? –me preguntó una psiquiatra de aquel hospital.

—Sí sé. Porque ustedes dicen que yo estoy enferma –respondí enojada y con la voz quebrada.

—No, Rosangélica. Te vamos a internar porque estás muriendo lentamente, porque ya no puedes más. Mira cómo estás, toma consciencia de lo que ves en ti. –Su mirada mostraba angustia, y en su voz se podía percibir la preocupación que tenía por mí. Me tomó la mano y continuó–: Sinceramente no sé cómo puedes seguir en pie aún, cómo puedes caminar. Ya no das para más, Rosa. Los huesos se te salen del cuerpo, el cabello se te cae, el corazón y los riñones pueden dejar de funcionarte en cualquier momento.

Mírate los dientes, mírate los ojos. ¿No eres capaz de ver la gravedad del asunto?

Mientras la doctora me decía todo eso, comencé a sentir pánico y a llorar sin parar. Con cada palabra que decía, mi cabeza se movía de un lado a otro frenéticamente, expresando: "No, no. Esto no está pasando".

—Tenemos que hacer esto por tu bien. Tú eres una niña hermosa. No dañes tu vida. Tus papás están sufriendo y no quieren verte así –me respondió con una voz dulce.

Mi cuerpo temblaba y mis labios no podían proferir palabra alguna. Estaba completamente aterrada. Me moriría allí. Mis padres habían cavado la tumba de mi muerte. Los odiaba por hacerme esto.

—Vas a estar aquí hospitalizada. Ya esto depende de ti. Tu recuperación depende de cuánto tiempo quieras estar aquí. Te vamos a alimentar a través de un tubo porque estás muy desnutrida y también vamos a colocarte suero. ¿Está bien? –me explicó la doctora. Pero yo no escuchaba nada. Estaba totalmente cerrada a lo que ella me decía, llena de nervios y en un estado catatónico. Solo pensaba en que me iba a morir en ese lugar y en huir de allí lo más pronto posible.

—Doctora, yo no quiero quedarme aquí. Por favor, no quiero que me coloquen suero. No quiero que me den comida. Se lo suplico, no lo haga –le respondí desesperada con voz entrecortada mientras mi llanto se hacía cada vez más fuerte.

Mis padres se encontraban llenando los papeles para poder internarme. La doctora intentaba calmarme, pero yo me ponía cada vez peor.

—Rosa, vas a estar bien. Solo confía en mí y en todos los médicos y enfermeras de este hospital. Queremos ayudarte, no lastimarte. Ahora necesito que te tranquilices para llevarte a tu habitación y colocarte el suero y los alimentos. Estás muy desnutrida.

—Hija, te acompañaremos a la habitación –dijo mi padre al llegar a donde estábamos la doctora y yo–. Ya terminamos de llenar el papeleo. Está todo listo. –Noté cómo su voz se quebraba al pronunciar aquellas palabras, y sentí un dolor muy grande.

—No, no –musité con un hilo de voz–. Mamá, papá, no me hagan esto, por favor.

—Lo siento, hija. Es por tu bien –respondió mi mamá con una mirada muy afligida.

La doctora me sujetó por el brazo y me llevó hasta mi habitación.

—Muy bien, Rosa, ponte esta bata y una vez que lo hayas hecho acuéstate en la cama. ¿Está bien?

Una vez que la doctora me dio aquellas instrucciones salió de la habitación para que yo me cambiara y cerró la puerta. Me senté en la cama por un momento y suspiré. Mi corazón aún estaba muy acelerado. Comencé a respirar profundo para calmarme. "Muy bien, Rosangélica. Nada de lo que hagas podrá sacarte de aquí en este momento. No te servirá de nada gritar o llorar para salir. Solo terminarás peor. Así que tranquilízate; no estarás aquí mucho tiempo. Debes idear un plan para que te dejen salir rápido", pensé decidida.

Observé la bata blanca doblada a un lado de la cama y luego de quitarme toda la ropa me la puse.

Un rato después llegó la doctora junto con una enfermera y mis padres.

—Rosa, ella es la enfermera que te suministrará el suero y los alimentos que necesitas.

—Hola, Rosa. ¿Cómo estás? –Me saludó dulcemente la enfermera con una sonrisa–. Por favor, acuéstate en la cama. Te inyectaré suero y después de un rato te daremos la comida –me ordenó.

Asentí con la cabeza y a regañadientes me acosté. Observé cómo me colocaba el suero. Un rato después, llegaron mis padres y se quedaron conmigo. La enfermera salió de la habitación. Mi mamá tenía los ojos rojos e hinchados de tanto llorar, y el rostro de mi papá reflejaba su alma rota. Sin decir palabra alguna se sentaron cada uno a un lado de la cama y me abrazaron con ternura.

Yo estaba tan cansada de todo, tan cansada de aquella batalla, que ya no tenía ánimos ni para llorar. Pareciera que de un momento a otro mis emociones se hubieran esfumado, y aquella dicotomía que se gestaba en mi interior crecía cada vez más con cada minuto que pasaba. Por una parte quería recuperarme, pues en el fondo sabía que estaba enferma. Sin embargo, por otra parte, aquella voz en mi cabeza me decía una y otra vez: "Si comes, engordas", y esa era la lucha a la que me enfrentaba en ese momento, una lucha entre mi mente y mi cuerpo.

Mi mamá me acariciaba la cabeza y me besaba la frente mientras me susurraba al oído: "Todo estará bien, mi niña". Mi papá me tomaba la mano fuertemente y me la besaba. Mi rostro en ese momento era inexpresivo, quizá por las dudas, quizá por el cansancio de aquel día, quizás por tanto luchar conmigo misma.

Mis párpados me pesaban. Aún observaba el tubo de suero conectado a mi brazo, pero de pronto la pesadez del sueño me venció y me quedé profundamente dormida.

Infierno

Abrí los ojos con pereza. Toda la habitación estaba totalmente oscura. Ya era de noche. Miré mi brazo: aún tenía aquel infernal y delgado tubo en mi brazo. Aquello no había sido un sueño. Aún me encontraba en ese horrible lugar.

Me senté en la cama con brusquedad y mi corazón comenzó a latir con rapidez. Mis padres, ¿dónde estaban mis padres? Mis ojos se llenaron de lágrimas. En ese momento la enfermera tocó la puerta de mi habitación y entró. Traía una inyectadora enorme llena de una sustancia que no lograba identificar qué era y un tubo igual al que tenía en el brazo.

—Rosa, ¿cómo te sientes? –me preguntó.

—Un poco… aturdida –respondí con torpeza–. ¿Dónde están mis padres?

—Ya se fueron, pero volverán mañana temprano.

—¿Se fueron? –pregunté con voz quebrada mientras mis lágrimas caían de mis ojos.

—No llores, linda. Vendrán mañana. No te preocupes –me consoló mientras acariciaba mi cabeza–. Ahora debes comer.

—No, por favor, no quiero comer. No lo haga –le rogué desesperada.

—Tranquila, tranquila. Será a través de un tubo, como te lo explicó la doctora. No tendrás que probar bocado alguno –me expresó con dulzura. Luego desenredó el tubo que traía y lo conectó a la inyectadora. Después lo colocó junto al suero–. Este es el tubo que te alimentará. Necesito que te quedes tranquila, porque te lo voy a meter por la nariz para que llegue a tu estómago y puedas recibir el alimento.

Cuando escuché aquellas palabras me aterré por completo. Mis ojos, ahora abiertos totalmente, mostraban el miedo que tenía de comer. Pero no tenía fuerzas para luchar. Así que solo emití sollozos mientras la enfermera me colocaba el tubo por la nariz.

—Listo. Ahora me quedaré contigo hasta que te acabes todo eso –dijo con una sonrisa, observándome, esperando a que toda esa espesa sustancia que estaba en la inyectadora pasara a través del tubo hacia mi estómago.

Mi respiración se volvió agitada y mi corazón amenazaba con salirse de mi pecho. Debía hacer algo para impedir que esa comida me engordara. Tenía mucho miedo de engordar. No podía hacerlo. De ninguna manera. Pero ¿cómo lo evitaría? Ahora tendría enfermeras vigilándome constantemente. No me dejarían sola ni un minuto.

Miré la inyectadora y noté cómo poco a poco comenzaba a vaciarse mientras el alimento que contenía era transferido al tubo y luego a mi estómago. Qué desagradable. Era lo peor que había visto en mi vida. No podía soportarlo. Sentir el alimento entrando en mi cuerpo y la saciedad que me producía era asquerosa.

Comencé a sentir ansiedad, y un sudor frío se apoderó de mí al punto de sentir las gotas descender por mi rostro. Empecé a temblar. Sin embargo, la enfermera no me dijo nada. Solamente se quedó allí, observándome. Yo miraba el tubo que cada vez se quedaba más vacío y sentía que mis esperanzas de salir de allí se desvanecían por completo. Sentía que mi muerte estaba cada vez más cerca y que ya estaba en el infierno.

Otro día más

La luz del sol penetró las cortinas de la habitación hasta posarse en mis ojos. Con molestia los abrí y me los restregué. Me sentía muy cansada. Al tomar consciencia de dónde estaba sentí una terrible angustia, tal como la del día anterior. Diablos... Otro día en ese apestoso lugar. Sabía lo que me esperaría ese día: llanto, desesperación, rehusarme a comer, ser alimentada a través de un tubo y vigilancia las 24 horas del día. Lo odiaba profundamente. Debía hacer algo para salir de allí o me volvería loca.

Me senté en la cama y miré hacia la ventana. De pronto me llegó un fuerte olor a desinfectante. Era el mismo olor del día anterior. Seguramente por mi estado de nervios no me había dado cuenta de que la habitación siempre olía así.

Tres voces de mujeres al otro lado de la puerta captaron mi atención inmediatamente. Estaban teniendo una conversación. Sin pensarlo dos veces me dirigí hacia la puerta y la abrí un poco para poder escuchar mejor. Eran tres enfermeras hablando.

—Pobre chica.

—No puedo creer que esté viva. Nada más mira cómo se le salen los huesos.

—La verdad es impresionante. No me imagino lo que debe estar sufriendo.

—Pero ella es un milagro.

—Definitivamente. Esperemos que pueda salir de esto.

—Igual yo. Rosangélica es una niña hermosa y muy dulce. Se merece lo mejor.

Al escuchar aquello mi rostro cambió a uno que reflejaba un profundo enojo. Pero ¿de qué rayos estaban hablando? Cerré la puerta y me recosté en ella. Al pasar un rato alguien la tocó y del susto di un brinco. De inmediato me aparté y volví a la cama.

La enfermera entró a mi habitación con la inyectadora y el tubo. Luego de saludarme la colocó junto al suero y repitió el mismo procedimiento de la noche anterior para poder alimentarme.

—¿Cómo te sientes hoy, Rosa? –me preguntó.

—Bien, como siempre –le respondí sarcástica mientras observaba pasar el horrible alimento desde la inyectadora hasta mi estómago. Entonces comencé a sentir ansiedad otra vez. La enfermera se acercó más a mí, y con una mirada de tristeza y compasión me dijo:

—Rosa, eres tan bonita. No te dejes vencer por esta enfermedad. Hemos visto cómo mujeres con anorexia mueren aquí en el hospital, y cómo otras se recuperan. Tú puedes salir de esto. Eres una chica muy bella y muy fuerte.

Ante aquellas palabras solo la miré con extrañeza. No le dije nada. Pobre, seguro se había vuelto loca con tantos enfermos que atendía diariamente.

Una vez que el tubo se vació por completo, me lo retiró y salió de la habitación. Yo me levanté de la cama para estirar las piernas. La habitación estaba congelada. Me abracé a mí misma. Mis dientes tiritaban y mis piernas temblaban por el frío. Pero ¿es que nadie podía apagar el aire acondicionado? Vaya, de verdad la gente estaba muy loca en este hospital.

Decidí salir de la habitación para poder agarrar calor con el aire natural, pero varias voces me detuvieron en seco. Entonces vi a mis padres hablando con varias enfermeras sobre mi crítica situación. Mamá estaba llorando y papá la abrazaba con mucho dolor. Cerré la puerta un poco para que no me vieran, y seguí escuchando la conversación.

—Bueno, señores, no es ningún secreto para ustedes que su hija está muy delgada, hasta los huesos, y se encuentra en un estado crítico de salud –dijo una de las enfermeras.

—Pero tampoco es un secreto que Rosangélica es un milagro. Con tan poco peso aún sigue viva, y eso es un buen augurio –dijo otra.

—Enfermera, díganos, ¿se pondrá bien? ¿Nuestra hija estará bien? –preguntó mi papá con mucha angustia en su voz.

—Debemos esperar un poco a ver cómo su cuerpo reacciona a los alimentos que le estamos suministrando. Hasta ahora su peso es muy bajo, pero es muy probable que se recupere. La estamos alimentando muy bien. Le estamos dando muchas vitaminas, entre ellas la vitamina D y el calcio, y suero también. Su alimentación es a través de un tubo, pues se rehúsa a comer y su estado es grave. Por ello, debemos hacerlo de esa manera, para asegurarnos de que consuma los nutrientes y calorías adecuadas. También la pesamos todos los días y siempre está bajo observación constante.

—Dios mío, pero ¿qué hicimos mal? ¿Qué hicimos mal con nuestra hija para que nos castigues así? ¿Qué hicimos mal, Dios?

–lloraba mi madre mientras le preguntaba a Dios por qué nos hacía todo esto a nosotros.

—Calma, calma, querida. Debemos confiar en los doctores y en las enfermeras. Ellos dicen que hay posibilidad de que nuestra hija se recupere. Y estoy seguro de que así será. Ella es muy fuerte y pronto volveremos a ver esa luz y ese brillo que tanto la caracteriza –dijo mi papá mientras la abrazaba fuertemente. Sabía que tras ese semblante fuerte, él estaba roto y llorando por dentro.

No pude evitar que mis lágrimas salieran de mis ojos al presenciar aquella escena. Me partía el alma verlos así, totalmente vulnerables al dolor y destrozados por completo. Y todo por mi culpa. Aunque era incapaz de verlo en ese momento, sabía que todo era mi culpa. Pero estaba cegada por mi mente enferma y por esa voz que me atormentaba todos los días. No era capaz de ver más allá de la anorexia, de mi cuerpo esquelético que veía como uno gordo y lleno de grasa y celulitis.

Yo, con apenas diecinueve años, estaba ahí, de pie, con esa bata de hospital, conectada a un montón de tubos, perdiendo mi juventud. Y todo por querer ser "bella, delgada y perfecta". Grave error, Rosangélica. Grave error. Las princesas no están entubadas ni son de hueso de cristal. Mucho menos están encerradas en un hospital ni haciendo sufrir a sus familias y a quienes más las aman.

Estrategia

Esa noche la psiquiatra y una doctora me visitaron a mi habitación y hablaron conmigo. En medio de la conversación, les rogué que me quitaran la sonda con la que me alimentaban, pues ya no la soportaba más; no me sentía nada bien con ella. Asimismo, les dije que quería comer sólido. Claro que todo era una mentira. No quería comer nada y mucho menos que me metieran comida por un tubo. Sin embargo, debido a mis ruegos y peticiones, al pasar un rato entró la enfermera que estaba a cargo de mí con una bandeja de comida. En ese momento mi rostro se convirtió en un poema de asombro y angustia. Aquello no podía estar pasando.

La enfermera dejó la bandeja en una repisa al lado de la cama. Observé lo que había en el plato: arroz con pollo, vegetales y granos. ¡*Iiug*, asqueroso! Apenas veía esa comida y ya sentía ganas de vomitar. No podía ocultar mi mueca de asco.

—Bien, Rosa, aquí está tu comida, tal como la pediste. Debes sentirte orgullosa, eres una de las pacientes más consentidas de aquí –dijo sonriendo–. Bueno, ahora cómete todo. Regreso en un ratito.

Cuando la enfermera y las doctoras salieron de la habitación, me quedé allí, quieta, observando la comida. Era tan asquerosa y repugnante que no la podía ni ver. El olor era nauseabundo. No. De ninguna manera me la comería. Debía idear un plan para deshacerme de ella y al mismo tiempo hacer creer a la enfermera que me la había comido. Pero ¿cómo lo haría? Miré alrededor de la habitación en busca de una solución. Entonces observé la bolsa de plástico que estaba colgada en la manija de la puerta. ¡Perfecto! Esperé unos minutos por si acaso la enfermera volvía a entrar. Luego de unos diez minutos agarré la bolsa y boté toda la comida ahí, sin embargo, dejé algunos restos en el plato para no levantar sospechas; después la escondí debajo de la cama.

Escuché el ruido de la puerta abriéndose y simulé terminar de comer. La enfermera entró a la habitación y se acercó a mí.

—Vaya. Te comiste casi todo. ¡Muy bien! –celebró– ¿Te gustó? –preguntó con sus ojos iluminados por la esperanza y la alegría.

—La verdad no, pero me toca comérmelo –le respondí fingiendo resignación.

Cuando salió de la habitación sonreí triunfante. ¡Ya la tenía! Había hallado la solución para no comer y engañar a la enfermera haciéndole creer que sí estaba comiendo. ¡Qué plan maestro! Ella no se daría cuenta de nada y al mismo tiempo observaría mi "avance" con la comida. ¡Ja! Ahora sí saldría de allí en un dos por tres.

¿Atrapada?

Creía que todo estaba bajo control. Boté la comida durante cuatro días e hice abdominales todas las noches. Sin embargo, una enfermera descubrió mis artimañas y comenzó a vigilarme al punto de no dejarme sola nunca, salvo para ir al baño. Lo peor era que me acompañaba durante las comidas para cerciorarse de que me comiera todo y no botara nada. Esos eran los momentos más horribles, pues yo solamente lloraba y le suplicaba que no me diera comida porque me daba asco. Entre lágrimas le susurraba que quería salir de ese lugar, y con un profundo rencor le decía que la odiaba por obligarme a comer y que era lo peor que existía en el mundo.

Sentía mucha rabia y dolor. Ahora no tendría otra opción que comer. Me estaba volviendo loca. Estaba desesperada por encontrar una solución, una salida a todo esto. Sentía que engordaba. Era horrible. Debía hacer algo pronto para botar la comida que estaba en mi estómago. Comencé a gritar tapándome la cara con una almohada, a golpear la cama y a golpearme a mí misma, a mi estómago, por ser tan débil y permitir que la comida llegara a él. No podía dejar de llorar. Entonces, después de tantos golpes mi estómago comenzó a resentirse y empecé a sentir náuseas. Una nueva puerta se había abierto ante mí.

Aunque nunca en mi vida había vomitado, esa noche tuve que hacerlo. Fui al baño y me metí los dedos hasta la garganta. Entonces comencé a vomitar hasta más no poder, mientras un llanto de rabia me acompañaba. Aquella era una sensación espantosa, tal como la que sentía estando en ese hospital. No me agradaba en absoluto devolver toda la comida, pero era la única forma de no tener nada en mi estómago y así evitar engordar a toda costa. Y mientras estuviera en ese lugar tendría que hacerlo. Así, ese veneno que ingresaba a mi cuerpo no me haría ningún daño y yo seguiría siendo delgada.

¡Sáquenme de aquí!

Esa noche, furiosa, salí de la habitación para llamar a mis padres. Cuando contestó mi mamá, le dije que me sacara de ese lugar o, de lo contrario, me suicidaría cortándome las venas o tomándome un frasco completo de pastillas. Sin embargo, esa amenaza no funcionó, pues ella solamente me decía que eso era por mi bien, que estaba enferma y debía darme cuenta. Ante sus palabras me llené aún más de rabia y tristeza. Sentí que no era importante para ella y que me había dejado sola en todo esto.

Me encerré con llave en mi habitación. Lloré, grité. Quería que todos me dejaran en paz. Odiaba al mundo. Me odiaba a mí.

Ya nada tenía sentido en mi vida. Lo que más deseaba en esos momentos era morirme, pero la verdad es que era muy cobarde para quitarme la vida. Así que solo me dejé llevar por el llanto y la agonía, hasta quedarme dormida.

¿“Salida” es sinónimo de “libertad”?

—No. Esto es muy fuerte para mí. No puedo soportarlo. Ya es demasiado tiempo. Por favor, alíviame un poco y dime que no es una locura el decidir llevarla a casa. ¿No será peor para ella el interrumpir el tratamiento que le están haciendo aquí?

—No lo sé, cariño. Pensé que esto iba a ser más fácil, pero es totalmente devastador. Prefiero llevarla a casa y ver allá cómo resolver esto. No puedo verla en ese estado. Es muy doloroso.

—Solo mírala. Allí, en esa cama, con todos esos tubos y mangueras metidos en su cuerpito tan frágil y tan roto, sin ella ser consciente de que está muriéndose; sin poder hacer nada. Mi niña, mi pobre niña.

—Lo sé, amor, lo sé. A mí también me rompe el alma verla así, tan débil y triste. Su rostro está muy pálido y ha perdido todo su brillo.

—Además, sus suplicas por querer volver a casa, a su cama y con nosotros, gritando que se está muriendo aquí, son terribles. No puedo con esto.

Aunque me encontraba con los ojos cerrados, no estaba completamente dormida, sino en un estado de vigilia. Escuchaba la conversación de mis padres y sus voces tan tristes, tan rotas, pero no entendía muy bien de qué estaban hablando. Sentí una suave caricia en mi cabeza, y poco a poco abrí los ojos. Entonces los vi. Sus ojos estaban hinchados y rojos, aún vidriosos. Aunque mi mamá lloraba.

—Hija, ¿cómo te sientes? –me preguntó mamá.

—Estoy cansada –susurré con voz débil.

—Mi amor, te tenemos una noticia –dijo papá con una sonrisa sentándose a un lado de la cama.

—¿Qué pasó? –pregunté somnolienta.

—Bueno, tu padre y yo hemos tomado la decisión de llevarte a casa, mi amor –dijo mi mamá mientras me abrazaba y me daba un beso en la cabeza.

—¿D-de verdad? –tartamudeé emocionada. Mis ojos se iluminaron por completo al escuchar aquello y una débil sonrisa se dibujó en mi rostro.

—Lo hemos pensado bien y hemos decidido que este no es el mejor lugar para ti ahora. Ni para nosotros. Estamos sufriendo mucho viéndote así, con todos esos tubos conectados a tu cuerpo, hijita –dijo mi papá con voz quebrada para luego tomar mi mano y besarla.

—Muchas gracias, papá, mamá. Son los mejores –les dije con voz débil mientras sonreía y tomaba sus manos.

Cerré mis ojos y di las gracias al Cielo porque aquel infierno estuviese a punto de acabar. Ya había pasado una semana desde que estaba hospitalizada, y me sentía muy débil por los constantes vómitos que me había provocado. Tampoco había podido dormir bien, pues además de vomitar la cena en la madrugada, también hacía ejercicios para asegurarme de quemar todas las calorías que había consumido a la fuerza.

La enfermera que me atendía entró a mi habitación. Luego de saludar a mis padres y a mí me quitó el tubo de suero para luego ayudarme a recoger mis cosas. Antes de irme me dirigí al baño para cepillarme los dientes y bañarme. Cuando terminé de ducharme me miré en el espejo y observé mis enormes ojeras y mi demacrado y pálido rostro. Pero ¿qué demonios? ¡Me habían destruido en ese hospital! Cuando salí del baño me vestí con mi adorada ropa. ¡Cuánto la había extrañado! Sentía que no la había usado en años. ¡Por fin dejaría esa horrible bata blanca!

Alguien tocó la puerta y la enfermera dejó de ayudar con mis maletas para ver quién era. Luego de hablar con otra enfermera me comunicó que ya estaba todo listo para irme y que mis padres estaban llenando el papeleo para que pudiera salir.

Sonreí al escuchar aquello y después de peinarme salí de esa espantosa habitación con olor a desinfectante con mis maletas hacia la recepción. Allí se encontraban mis padres.

Luego de terminar de llenar aquellos papeles salimos del hospital. Sonreí como jamás lo había hecho en mi vida. Por fin era libre. Había salido de ese lugar que tantos tormentos nos había causado a mis padres y a mí. Por fin me iría a casa. Aquella había sido la peor semana de todas. Pero ahora tendría mi vida de vuelta y todo volvería a la normalidad. Qué dulce era la vida. Por primera vez en mucho tiempo ella me sonreía. Estaba feliz.

Qué hermosa era la libertad. El sol era más amarillo, más grande y más caliente. El azul del cielo era intenso, al igual que el verde de los árboles y la grama. No podía creerlo. ¿Estaría soñando? ¿Era todo un sueño?

¿Realmente "salida" era sinónimo de "libertad"? ¿Tendría mi vida de vuelta? ¿Estaba todo bien conmigo?

De vuelta en casa

Al llegar a casa lo primero que hice fue vomitar lo que había "comido" esa mañana en el hospital. Estaba feliz de estar de vuelta en casa. Todo estaba cambiando para bien: mis padres estaban más unidos que nunca y yo había salido de aquel infierno llamado "hospital". Ahora podría regresar a mi dieta y a mi rutina de ejercicios de siempre, y volver a correr enmaratones.

A pesar de que mis padres me internaron, me llevaron a diversos médicos, entre los cuales destacan: varios psicólogos, psiquiatras, un nutricionista, una internista y una ginecóloga, nada de eso me funcionó. Para mí todos ellos estaban locos, ¡y aún mis padres insistían en llevarme a más médicos y decir que yo estaba enferma! La verdad no sé qué les pasaba por la cabeza. Seguro se les había pegado un poco la locura de los médicos de tanto visitarlos conmigo. Creo que definitivamente los que deberían ir son ellos, no yo.

Por otra parte, estaba feliz de que hayan recapacitado en sacarme de ese horrible lugar. Fue lo mejor que pudieron hacer. No me estaba recuperando de mi enfermedad; más bien estaba empeorando, pues ahora vomitaba la comida, algo que jamás había hecho. En vez de mejorar me hundía cada vez más.

Estoy enferma

Al pasar un año y medio en compañía de la anorexia, tomé la decisión de salir de ella gracias a la presencia de Dios en mi vida.

Dios me libró de la enfermedad, me salvó y me mostró que no estaba bonita como yo creía y mucho menos sana, No quería darme cuenta de que me estaba matando a sí misma, y Él acudió en mi ayuda para hacérmelo ver.

Al principio fue muy difícil reconocer que estaba enferma. Y más aún cambiar aquellos hábitos a los que estaba tan acostumbrada y que poco a poco me destruían por completo.

Estaba tan ciega a causa de la enfermedad que cuando la ginecóloga y la internista me dijeron que la anorexia me había causado ovarios poliquísticos y que me costaría tener hijos por todo lo que viví, no me importó. En el fondo no quería recuperarme, pero a la vez jamás perdí la fe en ese gran sueño que lo era todo para mí: tener hijos y formar una hermosa familia, grande, con muchos niños corriendo por el jardín mientras César cocina una exquisita comida y yo los persigo para atraparlos y caer en la grama mientras nos reímos de todo.

Después de mirarme en el espejo y sentir la Presencia de Dios en mi corazón y en mi vida, entre lágrimas tomé la decisión de salir de la anorexia. Investigué hasta quedarme dormida día tras día sobre cómo podía superar la enfermedad. Anoté los pasos a seguir, las dietas que debía hacer para subir de peso, la rutina de ejercicios que debía disminuir, y las pastillas que debía dejar de tomar. Ideé un plan para poder recuperarme. Le había prometido a Dios salir de mi enfermedad, y lo haría.

Sin embargo, quería salir de mi enfermedad sola, sin ayuda de ningún médico, ni de mis padres o amigos. No quería la ayuda de nadie. No quería que me dijeran qué tenía que hacer y cómo hacerlo. En ese momento quería estar sola y lejos de todos para adentrarme en mí misma y ver cómo podía salir de ese infierno que estaba viviendo y que había sido mi vida durante un año y medio.

Al mismo tiempo pensaba que si buscaba ayuda sería más fácil recuperarme. Sin embargo, yo quería hacerlo sola. Por esa razón me alejé de César y de mis padres. Casi no tenía contacto con ellos, y mucho menos con mis amigos. Pensé que la parte más difícil ya la había superado: el vivir la anorexia y el reconocer que estaba enferma. Pero no fue así; nada más lejos de la realidad. La parte difícil apenas comenzaba, pues dentro de mí se gestaba una guerra entre dos voces: la voz de Dios y la voz del diablito, como yo las llamaba. El querer salir de mi enfermedad desató una lucha en mi interior, y esa batalla era la más difícil a la que me había enfrentado jamás.

Todas esas voces peleaban en mi cabeza. Sentía que me estaba volviendo loca. Tenía sentimientos encontrados y una gran dicotomía en mi interior que me confundían cada vez más: por un lado quería salir de la anorexia, pero estaba esa voz que no me dejaba hacerlo, que me decía que moriría si consumía tan solo una caloría extra, que debía tomar más pastillas y hacer más ejercicio porque de lo contrario reventaría de lo gorda que me pondría. También, estaba aquella voz que me decía que estaba haciendo las cosas bien, que me ayudaría a salir de esto, que era hermosa, fuerte y valiente.

Ya estaba tan cansada de oír aquellas voces todo el día, especialmente la voz del diablito. A veces solo deseaba que mi vida se acabara de una vez por todas. Sin embargo, cada vez que pensaba en eso recordaba la promesa que le había hecho a Dios y lo que le había pedido: que me ayudara a salir de la anorexia, que sostuviera mi mano para no caer de nuevo en ella, y que alejara los pensamientos de muerte o suicidio de mi vida para siempre y los desviara de mi camino.

"Anorexia" igual a "coraza"

La verdad es que la anorexia me ayudaba a evitar mis problemas y responsabilidades, a esconderme de todo. Ella me permitía refugiarme en mí misma y me protegía de situaciones dolorosas que yo no podía enfrentar por temor (o por cobardía).

La anorexia era lo único que yo podía controlar. Tenía el control sobre mi cuerpo y la comida. Lo que comía era algo que yo decidía. De resto no podía controlar más nada. Mi vida era un total remolino, y yo estaba en el centro.

Aunque por fuera me mostrara como una persona fuerte, realmente estaba rota por dentro. Delante de los demás era una mujer feliz, fuerte y segura de sí misma, pero detrás de la puerta, en mi interior, solo era una mujer frágil, insegura e infeliz, con la autoestima por el piso, llena de prejuicios sobre sí misma y con un vacío existencial que nada ni nadie podía llenar. Solo lo hacía la comida (o la falta de ella), la depresión y la voz que siempre me acompañaban y me decían que comía demasiado, que dejara de hacerlo, que explotaría un día de estos, que era un desastre y un fracaso en todo. Sin mencionar las constantes e hirientes palabras: "Gorda"; "Ballena"; "Cerda", que aquella maligna voz me decía a diario sin yo poder ser capaz de detenerla.

Aquello era un infierno, y yo estaba cansada de mi vida. Sin embargo, al darme cuenta de todo eso, el reconocer mi enfermedad y el daño que me había hecho a mí misma hizo que mi vida cambiara por completo. El reconocerme hizo que cambiara la perspectiva que tenía de las cosas.

Por mucho tiempo me había torturado, privado y castigado a mí misma y a mi cuerpo. Lo había tratado tan mal, a mi templo, el único que tengo, que aún hoy en día le sigo pidiendo perdón.

Fueron incontables las noches que oré pidiéndole a Dios que me ayudara a salir de esto; las noches que lloré por todo el daño que me había causado durante todo ese tiempo; las noches en las que me pedí disculpas por haberme herido de tal manera.

Sin embargo, ahora yo había abierto los ojos para salir de aquel infierno y para cambiar para bien. Dios me había abierto los ojos para que viera la verdadera realidad y me diera cuenta de que aquel mundo perfecto de delgadas y hermosas princesas que danzaban alrededor de un bello lago cristalino era una completa mentira. Aquel mundo lleno de una naturaleza de intensos colores no era nada más que uno oscuro, gris y opaco que carecía de color. Uno que encerraba un sinfín de almas dolientes, de esqueletos andantes que ejecutaban la danza de la muerte acompañados de la música más tétrica alrededor de un lago putrefacto. Uno que tenía atrapadas a chicas débiles y frágiles que se rompían por su extrema delgadez y que clamaban por ayuda entre gritos y lágrimas, dejando ver lo rotas que estaban por dentro.

Aquellas princesas de cristal no eran nada más que chicas comiéndose a sí mismas, cuerpos que solo eran pieles pegadas a los huesos. Tomar consciencia de que yo era una de esas chicas fue muy doloroso. Reconocer que todo lo que había vivido durante un año y medio había sido una vil mentira fue muy fuerte. Pero una vez dado ese primer paso que es tan difícil: aceptar la enfermedad, poco a poco, con la ayuda de Dios, me determiné a salir adelante, a abandonar ese infierno en el que había estado sumergida todo ese tiempo y que me había cegado por completo.

En camino hacia la recuperación

Así, poco a poco fui aumentando mi fe en Dios y en todo lo espiritual. Comencé a hablar con Dios todos los días, como si fuera mi amigo. Le pedía que me ayudara a ser una mujer fuerte, segura de sí misma y, sobre todo, feliz. Este fue el primer paso que di para superar mi enfermedad (después de la aceptación).

Para sanarme, primero debía hacerlo de adentro hacia afuera, pues había situaciones, emociones y sentimientos muy negativos y arraigados dentro de mí que debía sacar de mi ser. Por eso debía sanar primero mi espíritu, pues realmente la anorexia y el daño hacia mí misma partían desde ahí. Mi espíritu y alma estaban completamente destrozados. ¿Por qué mi cuerpo estaría bien si por dentro yo estaba sufriendo? Mi exterior reflejaba cómo estaba mi interior.

Además de sanar mi espíritu y alma, debía comenzar a amarme y aceptarme tal cual era. Solo así sería capaz de ver la realidad como era, la verdadera, no una distorsionada que había sido la protagonista de mi vida gracias a mi enfermedad.

Debo confesar que mi proceso de recuperación no fue nada fácil. Aquel fue un camino duro y largo. Yo estaba dividida por la guerra que ocurría en mi interior entre las dos poderosas voces, y muy confundida porque a veces no sabía cuál era el camino correcto, aquel que debía seguir.

Muchas veces me levantaba emocionada por el progreso que estaba teniendo, y me decía a mí misma que ese día daría todo de mí para poder superar poco a poco la anorexia. Pero así como muchas veces estaba feliz porque cada día me sentía mejor conmigo misma, muchas otras me sentía como lo peor del mundo y quería tirar todo a la basura, pues sentía que no servía de nada todo lo que estaba haciendo para avanzar.

De la desesperación incluso a veces decía cosas sin pensar, como: "Si me muero de una vez, no seguiré sufriendo como lo estoy haciendo". Pero luego sentía la tierna y suave voz de Dios susurrándome al oído: "Sigue adelante. Vas a salir de esto. Vas muy bien. Eres una mujer fuerte, hermosa y segura de sí misma. Confía en ti y en mí. Yo te ayudaré a salir de tu enfermedad". Y eso era lo que me mantenía fuerte y firme para no caer ni rendirme.

Cada día me levantaba y me veía en el espejo. Aún estaba pesando 32 kilos, pero eso no me importaba. Todos los días al mirarme en el espejo me repetía con firmeza y determinación tres palabras que me ayudaban mucho: "Yo soy una mujer **fuerte, maravillosa** y **hermosa**". De esta manera, al pasar el tiempo me di cuenta del gran y poderoso efecto que ellas causaban en mí, pues hicieron que llegara a sentir eso que decretaba: ser una mujer hermosa, maravillosa y fuerte.

Eso hizo que mi autoestima poco a poco subiera y que me sintiera más tranquila conmigo misma. Estaba cambiando para bien. Ahora me gustaba estar sola, pero sin esconderme de las personas, como solía hacer siempre para refugiarme en mí misma y en mi enfermedad. Llegué al punto en el que no me importaba si la gente que me veía en la calle se burlaba de mí, me señalaba o me decía una mala palabra. Estaba tranquila y me sentía bien conmigo misma. Y eso era lo único que me importaba.

Ahora sonreía genuinamente, de verdad. Sentía un profundo e inmenso agradecimiento con Dios y la vida por haberme dado una segunda oportunidad. Ahora estaba determinada a hacer las cosas bien. Hacía muchos años que no sentía esa paz conmigo misma. Y ella había vuelto para llenar ese vacío que tenía y que tanto me había hecho sufrir.

Paso a paso

Debo confesar que ese primer paso para superar mi enfermedad fue el más difícil para mí y el más doloroso de todos los que di, pues significaba hacer un viaje a mi interior, explorarme y estar cara a cara conmigo misma, enfrentarme a mí. Significaba abrir ese baúl que tenía guardado en lo más profundo de mi ser para liberar todas esas emociones y situaciones que tanto daño me habían hecho. Significaba desprenderme de ellas y de todos los hábitos y costumbres que habían sido parte de mí durante tanto tiempo y que me estaban matando. Significaba deshacerme de una parte de mí que era muy oscura y me hacía mucho mal.

Cuando logré ese primer y gran paso de sanar mi alma y espíritu, y de sentirme bien conmigo misma, comencé a trabajar en mi aspecto físico. Estaba consciente de que tenía que aumentar de peso urgentemente. Sin embargo, tenía mucho miedo de hacerlo, pero esa era la única forma de salir de aquel infierno. Era algo que debía hacer por mí, por mi salud y amor propio.

Dejar los laxantes fue un gran logro para mí, aunque me costó mucho hacerlo, pues eran como una droga a la que era adicta. Como mi dependencia a ellos era muy fuerte, al punto de tomarme cinco píldoras diarias, no pude dejarlos de un solo golpe. Eso me fue imposible. Así que poco a poco fui disminuyendo la dosis hasta que logré deshacerme de ellos por completo, y hasta el sol de hoy no he vuelto a tomar ni uno solo.

Cabe destacar que al principio nada de esto me funcionaba. El dejar aquellos nocivos hábitos que estaban tan arraigados en mí era algo impensable e imposible, al punto de sentir ansiedad cuando veía un poquito más de comida en el plato, cuando hacía menos ejercicio, o cuando tomaba menos laxantes. No sabía cómo deshacerme de ellos. Pero poco a poco, con la ayuda de Dios, caminando de Su mano, y con mucha paciencia, perseverancia y voluntad, pude lograrlo.

Como tercera parte de mi plan, tomé un cuaderno y comencé a escribir metas que pudiera alcanzar con respecto a mi recuperación. Como primera meta me propuse subir tres kilos en ese primer mes, y así llegar a pesar 35 kilos.

Cuando pasó un mes y me pesé en la báscula, una enorme sonrisa se dibujó en mi rostro y mis ojos se volvieron vidriosos por la emoción que me envolvió en ese momento. Lo había logrado. La báscula marcaba el número “35”, y yo no podía ser más feliz.

Dejar de tomarme las pastillas que supuestamente "no me hacían engordar" había sido una de las mejores cosas que había hecho en mi vida. Junto a eso, el disminuir los ejercicios compulsivos me había ayudado mucho. Ya no corría diez kilómetros en ayunas ni entrenaba tres horas en el gimnasio.

Con respecto a la comida, aún seguía comiendo un pedacito de pollo con brócoli o ensalada, sin nada más que edulcorante y mostaza. Pero esos tres pequeños cambios que había hecho en ese corto tiempo me ayudaron a aumentar esos tres kilos. Estaba orgullosa de mí misma por haberlo logrado.

Con el paso del tiempo pude incorporar otros alimentos a mi dieta, como proteínas y algunas grasas buenas, como la del aguacate, la de los frutos secos y el aceite de oliva; pero no los carbohidratos ni la carne roja. Tenía tanto miedo de comer carbohidratos, que los evité por siete meses, hasta que César fue quien me enseñó a comerlos sin miedo, al igual que la carne roja, que no había comido desde hacía mucho tiempo. De esta manera, poco a poco terminé de incorporar todos los alimentos a mi dieta sana y balanceada. Cabe destacar que los comía con mucho cuidado, y a veces con miedo, pero lo importante es que lo hacía.

Visitando al nutricionista

Así, con el paso del tiempo fui aumentando de peso. Los huesos comenzaron a desaparecer de mi cuerpo, y cada día me sentía mejor. A los tres meses había subido nueve kilos, pero mi grasa corporal estaba muy baja, y por esa razón no me venía la menstruación. Aunque inicialmente debido a la anorexia mi porcentaje de grasa corporal era de 5%, en esos tres meses había logrado aumentarlo a 9%. Sin embargo, aún estaba muy bajo.

Por esa razón, un día tomé la decisión de ir al nutricionista para ver si realmente estaba avanzando y evaluar mi condición. Él me pesó y me dijo que había subido algunos kilos, pero que seguía muy baja de peso en comparación con mi estatura de 1,66 m, ya que estaba pesando 41 kilos, y que mi grasa corporal tenía que estar en 14% para estar perfecta y completamente sana.

Al escuchar aquella explicación, mi expresión cambió a una de asombro e incredulidad.

—Doctor, usted se volvió loco –le dije–. ¿Cómo voy a pesar tanto y a tener tanta grasa? Me moriré de la gordura.

Él rio y me respondió:

—Si quieres estar bien, tienes que hacer el esfuerzo para llegar ahí. Tienes ovarios poliquísticos y no te viene el periodo. Entonces tienes que hacer un esfuerzo para aumentar tu grasa corporal.

Aunque me parecía una verdadera locura lo que decía, debía hacerle caso, pues él era el experto en la materia, y yo solo una paciente que acudía a él por ayuda. Por eso hice lo que me recomendó, y al pasar los meses fui subiendo más de peso, hasta que finalmente pude llegar al mío: 57 kilos. Ese era mi peso perfecto. No quería aumentar más. Estaba muy feliz por todo lo que había logrado hasta ahora.

Con el tiempo, el miedo que tenía de subir de peso y de comer fue desapareciendo. Poco a poco logré aumentar el porcentaje de grasa corporal a 13%, y así me mantuve. Ahora estaba segura de que aquel había sido el final del camino, de aquel viaje que tantos dolores de cabeza y tantas satisfacciones y alegrías me había causado. Por fin había logrado llegar a mi meta. Había superado la anorexia.

Metamorfosis

Más pronto que tarde comencé a tener una vida normal. Comía muy sano y limpio, sin nada de grasa, muy bajo en sal, todo orgánico. Hacía mis ejercicios con responsabilidad, ya no compulsivamente, sino a un ritmo normal. Llevaba una rutina de entrenamiento saludable. Ya no vivía con miedos. Me sentía bien conmigo misma y me gustaba la mujer que veía en el espejo. Todos los días trabajaba la confianza y la seguridad en mí misma. Todos los días hablaba con Dios y me aferraba a Él.

Hoy ya son cinco años de haber superado mi enfermedad, y le doy gracias a Dios por hacer que fuera capaz de reconocerla y aceptarla para luego superarla, y a mis padres y a César por su infinito amor e inmensa paciencia. Gracias a ellos, que sostuvieron mi mano en este viaje de autodescubrimiento, y son quienes la sostienen cada día de mi vida, no he vuelto a caer en la anorexia. Y tampoco pienso hacerlo.

Sin duda aquel fue un proceso lento, un camino lleno de miedos, de inseguridades y de mucha angustia. Había iniciado aquel viaje con un objetivo claro y una maleta llena de sueños y esperanzas. Pero mis fuerzas y mi autoestima estaban por el suelo, sin mencionar mi amor propio, aquel que no existía. Solo reinaba el dolor y la desesperación en mí. No sabía con certeza qué demonios oscuros iba a encontrarme en el camino, ni qué batallas tendría que pelear para vencer, hasta que me di cuenta de que mi peor enemigo era yo misma. Y que no saldría de mi enfermedad hasta enfrentarme conmigo y hacer las paces para comenzar a sanarme.

Fue duro, doloroso, y una parte de mí dejó de existir para siempre. Sin embargo, gracias a eso, aquella chica que comenzó dando pasos torpes por un sendero lleno de dudas e incertidumbre, hizo metamorfosis y resurgió de las cenizas como el Ave Fénix para convertirse en una nueva mujer: una mujer hermosa, maravillosa, fuerte y segura de sí misma. Había iniciado el viaje hacia mi superación personal y mi sanación siendo una, y lo había terminado siendo otra totalmente diferente. Y estaba muy orgullosa de ello. Ya no me sentía prisionera de mí misma ni de esas voces que tantos tormentos me habían causado. Ahora era libre y feliz.

Estoy convencida de que si no hubiera pasado por este proceso tan fuerte, no sería la Rosangélica que soy hoy en día. Por eso hoy sé que todo tiene un propósito y que Dios actúa en nuestra vida para que logremos ese propósito que tiene destinado para nosotros. Sin embargo, para lograr ese propósito, Él nos pone pruebas y obstáculos en el camino que debemos superar, con la finalidad de volvernos más fuertes y más sabios, cultivando nuestro amor propio y el amor hacia los demás y logrando ver esperanza donde la creíamos extinta.

He llegado a pensar que los trastornos alimenticios son una batalla espiritual, y que la voz en nuestra cabeza puede distraernos o hacernos daño para que nos detengamos en nuestro camino hacia nuestra misión de vida, aquella encomendada por Dios. Por esta razón quiero decirte algo a ti, que me lees:

Tú has sido llamada para hacer algo poderoso en tu vida, y quizás esta enfermedad es una distracción creada por tu mente para que no puedas encontrarte con Dios ni cumplir tu propósito de vida. Pero quiero que recuerdes algo muy importante y valioso: tú eres más que una enfermedad. Tú eres hija de Dios. Y por eso podrás superar la anorexia.

En ciertas ocasiones, sin que te lo digan, deberás tomar decisiones que implicarán un alto sacrificio. Entonces tú medirás las consecuencias si la meta vale el esfuerzo y el tiempo. En mi caso, valía toda una vida.

¿Sabes? Un pequeño detalle puede cambiar tu vida. En un abrir y cerrar de ojos algo pasa al azar cuando menos te lo esperas y te envía por un rumbo que jamás planeaste, hacia un futuro que nunca imaginaste. ¿A dónde te llevará? Tú misma debes hacer ese viaje para descubrirlo, pues ese es el viaje de nuestra vida, nuestra búsqueda de luz. Quizás, a veces encontrar la luz implica pasar por una intensa oscuridad. Al menos así fue para mí.

En varias ocasiones me encontré conmigo misma y me conocí más en ese proceso de búsqueda. En mi camino hubo obstáculos, turbulencias inesperadas, caídas que jamás volveré a repetir y lugares a los que jamás regresaré.

Todos tienen su propio destino, pero no todos deciden seguirlo. Por suerte yo lo hice, y ahora soy una mujer totalmente nueva.

Te invito a hacer lo mismo. Puedes salir de tu enfermedad. Inicia ese viaje hacia tu interior para que puedas reconocerte y sanarte. Búscate, descúbrete. Solo así aparecerá la grandiosa mujer que eres.

CAPÍTULO **5**

UNA MIRADA A OTROS ESPEJOS

El lado oscuro de la fama.
Cuando la princesa Ana opaca el éxito

Demi Lovato:la Guerrera

Tiernas sonrisas, una habitación llena de muñecas, juegos infantiles, dulces, el sueño de convertirse en princesa y mucha imaginación es lo que rodea a una pequeña niña de tres años.

Sin embargo, para Demi Lovato no hubo nada de eso. Los intensos y alegres colores que pudieron envolver su alegre niñez se volvieron grises y negros demasiado temprano a causa de una relación problemática entre sus padres,un padre ausente y lleno de vicios,como el alcohol y las drogas, y una inocente preocupación que la llevaría más tarde a vivir un infierno del que tal vez no podría salir.

A la tierna edad de tres años, cuando aún usaba pañales, Demi ya soñaba con ser una gran estrella. Quería ser una actriz joven y exitosa, y la más joven en ganar un Oscar y un Grammy.

Pero además de ese dulce sueño que más tarde se haría realidad, esa pequeña niña ya comenzaba a tener problemas con su imagen corporal,pues se frotaba el estómago con la mano y pensaba: "¿Esto se aplanará alguna vez?", y al mirarse en el espejo se veía gorda.

Más tarde, cuando tenía siete años, comenzó a incursionar en el mundo de la actuación gracias a su aparición en el programa de televisión infantil *Barney y sus amigos*. A pesar de la fama y el éxito que comenzaba a tener la pequeña Demi, ella no se sentía feliz. A esa misma edad comenzó a sufrir depresión y a pensar en el suicidio, al punto de fascinarse con la idea de la muerte.

Lo cierto es que Demi estaba viviendo dos vidas: en el exterior y frente a las cámaras ella era la niña estrella, joven y feliz, pero tras las puertas se mostraba la verdadera, la niña deprimida.

A los ocho o nueve años comenzó a comer compulsivamente. Horneaba galletas y luego se comía la bandeja entera. Allí empezaron los llamados "atracones", y paulatinamente comenzó a sentirse infeliz con su cuerpo. Después empezó a desnutrirse pasando hambre, y eso desencadenó que comenzara a vomitar y a ayunar. De esta manera, se desataba dentro de ella una lucha constante entre no comer y vomitar. Y a veces vomitaba pura sangre.

Además de eso, Demi comenzó a cortarse a la edad de once años para desquitarse con todo lo que sentía. Ella afirma que esa era una manera de expresar su propia vergüenza hacia ella misma y hacia su cuerpo, así como de aliviar todo su dolor.

Mientras tanto, la fama de Demi no impidió que a los doce años comenzara a ser víctima de *bullying* en la escuela. Sus compañeros de clase la llamaban "gorda" y la maltrataban verbalmente. Además, la adolescente se sentía insegura al ver que había niñas más delgadas que ella.

Esta situación hizo que Demi se aferrara aún más a la anorexia y la bulimia, y se tomara más en serio el dejar de comer, pues quería ser aceptada, y pensaba que si era delgada todos sus problemas acabarían. Sin embargo, eso solo fue el comienzo de un torbellino que la llevaría a los infiernos más profundos de los que tal vez no podría salir.

Así, Demi recurría a los atracones de comida y a las purgas (vómitos) cada vez que se sentía emocionalmente inestable. El no comer o el comer de más y vomitarlo todo la hacía sentirse en control con ella misma. Era una forma de anestesiarse para no tener que sentir las emociones que tenía dentro (y que no sabía controlar), ni lidiar con ciertos problemas o traumas. También dijo que al vomitar obtenía un efecto físico, ya que el cuerpo libera endorfinas, y eso hacía que se volviera adicta a esa sensación, hasta llegar al punto de vomitar seis veces al día. Ella lo hacía pensando que hasta un vaso de jugo le haría subir dos kilos. Así, unos días se daba atracones y vomitaba hasta más no poder, y otros no comía nada en absoluto. Incluso menciona que una vez hizo solo dos comidas en toda la semana.

A pesar de ella sentir que los trastornos alimenticios habían llegado a su vida desde antes de ser conocida, la industria del entretenimiento hizo que los mismos se amplificaran, ya que su vida pasó a estar bajo un microscopio, y eso aumentó la presión que sentía de tener que verse de un modo determinado. Escuchaba o leía comentarios en los *blogs* que hacían referencia a su peso o a su aspecto, y no le gustaba cómo lucía en las fotos, pues se veía gorda en ellas.

Eso hizo que su obsesión por su peso se volviera aún más fuerte, y la llevó a caer en las drogas y el alcohol cuando tenía diecisiete años, y fue a los diecinueve cuando tocó fondo. No era capaz de estar sobria ni treinta minutos. Las drogas y el alcohol ocupaban todos sus pensamientos, llegando al punto de estar drogada todo el tiempo o pensando en las drogas. Con el alcohol sucedía lo mismo.

A los dieciocho años la presión del medio artístico le estaba pasando factura, pues corría de conciertos a entrevistas, sesiones de fotos y series de televisión, y aquello afectó su carácter. Demi admitió que era muy difícil trabajar bajo esa presión. Hacía conciertos con el estómago vacío y estaba perdiendo su voz por los vómitos que se provocaba ella misma. Estaba tan mal emocionalmente que llegó a golpear a una de sus amigas y bailarinas en la cara, dejándole un ojo morado, durante el *tour* de Camp Rock que hacía junto a los Jonas Brothers en el año 2010.

Ese violento acto terminó de encender las alarmas de todos a su alrededor, y de inmediato fue internada en Timberline Knolls, un centro de rehabilitación para mujeres con adicciones. Ella renunció al *tour* y aceptó ir. Allí recibió un impactante diagnóstico: sufría de trastorno de bipolaridad. Cabe destacar que además de tratar su adicción en ese lugar, recibió varios tratamientos contra sus trastornos alimenticios y de bipolaridad, y tres meses después salía de allí convertida en una nueva persona.

Por primera vez en su vida comenzaba a darse cuenta de su situación, y para ella dejar de ignorar sus sentimientos fue una experiencia muy gratificante. Además de eso, agradeció a sus fans por el apoyo recibido. Sin embargo, un año y medio después de salir de rehabilitación trataban de apoderarse de ella sus antiguos fantasmas y dominarla nuevamente: "No seré perfecta. Pero mientras me despierte en las mañanas, coma mi desayuno y diga:

«Mira, vas a comerte esto ahora»; «Voy a comer el resto del día»; «No voy a hacerme daño ni a hacer nada autodestructivo», todo estará bien. Si puedo lograrlo en todo el día, puedo hacerlo, y eso es todo lo que importa". A su vez menciona que: "El trastorno alimenticio siempre estará conmigo. Es algo contra lo que lucharé toda mi vida. Es más difícil y duro que abandonar las drogas y el alcohol, pero sigo en la batalla, que es lo más importante".

En 2016 Demi recayó nuevamente en la anorexia y la bulimia al terminar su relación de seis años con el actor Wilmer Valderrama. Sin embargo, tras una nueva rehabilitación, otra vez pudo salir victoriosa. Con ayuda de su nutricionista y entrenador personal, Demi ahora lleva una alimentación sana y se siente segura de sí misma. Hoy abraza sus curvas y las luce orgullosa. Sabe que su contextura física no es alta y esbelta, y se siente bien y hermosa con ello.

Actualmente Demi les brinda ayuda a personas que están paciendo algún desorden alimenticio, al expresarles lo siguiente:

"Lo que quisiera decirle a alguien que tiene problemas ahora es que intente buscar gratitud. Es tan importante que busques gratitud en tu vida y te concentres en las cosas positivas. Cuando puedas hacer eso o puedas ayudar a los otros, podrás salir de ti mismo y ver tu vida con una perspectiva diferente. A veces es retador y realmente difícil, pero es algo que me ayuda cada día, hasta ahora ha funcionado".

Finalmente, hace un llamado a quienes sufren de algún trastorno para que se encomienden a Dios y así Él pueda ayudarlos en su camino hacia la recuperación:

"Creo que la única manera de aceptarte verdaderamente es decir:

«¿Sabes qué? Dios te ha dado ese poder», pero se trata de entregarte y decir: «Ya no puedo seguir haciéndole esto a mi cuerpo. Dejaré que mi cuerpo sea como naturalmente se supone que sea»".

Anahí: la más Rebelde

"A diario me fui acostumbrando hasta el punto de estar feliz con mi delgadez. No me daba cuenta de que mi cuerpo pedía auxilio. Con el paso del tiempo mi cuerpo ya no aceptaba alimento, hasta que mi corazón se detuvo por ocho segundos".

Cuando somos adolescentes pasamos por un cambio en el que no sabemos a dónde vamos, quiénes somos, cómo es nuestra personalidad. Somos más vulnerables a las críticas y nos comienza a importar mucho nuestra apariencia física. Además de eso, nuestro cuerpo cambia y se convierte en uno de mujer. Entonces empieza la presión por tener que vernos perfectas siempre cuando vamos a la escuela, cuando vamos al cine o nos reunimos con amigos, y así evitar críticas destructivas o falsos rumores que puedan afectarnos.

Pero ahora ¿imaginas esa presión estando en el medio artístico? Aunque Demi Lovato cayó en las garras de la anorexia y de la bulimia antes de ser conocida, para Anahí la historia fue muy diferente. La exintegrante de la novela mexicana *Rebelde* y del grupo RBD fue víctima de estos trastornos al entrar en ese medio, específicamente en el medio de la actuación. Si bien no sabe cuál fue el detonante que la llevó a padecerlos, al observar que en dicho ambiente había chicas más delgadas que ella, eso hizo que comenzara a sentirse insegura con su cuerpo.

De este modo la adolescente de casi catorce años poco a poco comenzó a hacer dieta, a dejar de comer hasta llegar al punto de no hacerlo durante largas temporadas y de pronto comer pequeñas cantidades de comida. Aunque realmente no estaba bien informada de la enfermedad, la comida ya no era su prioridad.

Aunque pensara que podía controlar la anorexia, al pasar un año con la enfermedad, Anahí comenzó a tener problemas físicos y a sentirse mal. Su cuerpo comenzó a dejar de trabajar como debía. "Después de un tiempo empecé a sentir cambios físicos que al principio me gustaban y después me asustaron. Vinieron problemas de piel, de uñas, de dientes, de pelo. Las cosas empezaron a no funcionar tan bien, y ahí me comencé a preocupar y a asustar", comenta.

Entonces sus padres la llevaron al doctor, a pesar de su resistencia, y fue cuando le diagnosticaron anorexia nerviosa. Aquel fue el comienzo de un laberinto en el que se perdió y en el que casi queda atrapada para siempre, pues la curiosa adolescente empezó a investigar por Internet más acerca del tema, y mientras más investigaba, más ideas le daban sobre lo que debía hacer para estar más delgada.

Además de aferrarse más la anorexia a su vida, la bulimia llegó para quedarse, pues Anahí en sus investigaciones descubrió que también existía ese trastorno, y que cuando no aguantara el hambre, podía comer todo lo que quisiera y después vomitarlo todo. Esa era otra forma de no engordar.

Poco a poco ambos trastornos la fueron envolviendo y se convirtieron en una bola que crecía y crecía, en un enorme problema que duró seis años y que la cegó por completo al punto de expresar, con 35 kilos, que "siendo una persona famosa y alguien que la gente conoce, lo veía como algo normal, pues había que estar muy bonitas para salir en la tele". Y peor aún era el hecho de que mientras más delgada estaba, más hermosa y feliz se sentía.

Ante los comentarios: "Estás más flaca"; "te ves bien", que a diario escuchaba la actriz, se sentía bien consigo misma. Como artista, ella estaba en el ojo del huracán y en la mirada de muchas personas. Y para ella ese fue el gran trasfondo de todo, pues a esa edad uno espera encajar con los amigos, y en este caso, con la gente, con los medios. Uno busca pertenecer a un grupo. Por eso, investigando en Internet, comenzó a seguir el método de "Los once días", que se basaba en no comer nada durante once días. Al pasar ese tiempo comía solamente un día, y por supuesto devolvía todo.

Poco a poco ella misma se convirtió en su propio peor enemigo. Cada vez buscaba más y más información para tener más ideas de cómo podía seguir adelgazando. "Por un lado tenía mucho miedo y no quería estar enferma, pero por otro lado no sabía cómo salir y entonces prefería seguir. Es algo que hasta el día de hoy no sé explicar. Realmente mi corazón estaba enfermo. También creo que influyó el que a lo mejor en ese entonces me estaba haciendo falta un abrazo", cuenta en el documental *Obsesión: Cuerpos que gritan*, transmitido por el canal National Geografic Channel.

También mencionó que durante la enfermedad el silencio era algo que siempre la acompañaba, y que no hablaba del tema con nadie ni permitía que nadie entrara en él. Por ello la enfermedad comenzó a afectar su entorno social y familiar, pues su carácter cambió por completo: se tornó irritable y al ce- rrarse con todos los de su alrededor, comenzó a quedarse sola. Su hermana Marichelo dijo que fue muy difícil convivir con Anahí cuando tuvo anorexia. En varias ocasiones expresó que sentía que la perdía.

Además de aislarse completamente de todos, en 1999 los medios confirmaron que tenía anorexia nerviosa, y aquello fue un *boom* de críticas y burlas hirientes para la joven actriz. Sin embargo, Anahí negaba tener un desorden alimenticio, y justificaba que su pérdida de peso se debía a la fuerte carga de trabajo.

Para ella era muy difícil aceptar que estaba enferma, porque en ese momento ya estaba muy atrapada en el laberinto. Sin embargo, cuando tomó consciencia de su enfermedad y de que su familia estaba sufriendo tanto o más que ella, lo asumió completamente y se dijo a sí misma que saldría de ella.

Sin embargo, el camino para salir del laberinto no sería nada fácil. Anahí trataba de hacerse la fuerte, de estar bien y de mantenerse positiva con respecto a su enfermedad, pero no quería aceptar el miedo y el terror que sentía en su interior. A pesar de estar determinada a salir de la anorexia, ella dijo que aquellas "fueron noches muy fuertes y días muy largos. Meses, años muy fuertes en los que cada vez era más difícil poder seguir viviendo".

La actriz y cantante cuenta que se veía en el espejo y se decía: "¿En qué momento te convertiste en esta bruja? Te estás matando sola". Llegó a un grado en el cual pesaba 36 kilos y estaba totalmente en el hueso. "Mi cara era completamente otra, mi complexión, mis brazos, mi mirada, mi boca, mi cuerpo. Era un monstruo. De verdad era un monstruo".

Estuvo alrededor de dos meses pensando y sintiendo que se moría. Cada día despertaba sin fuerzas y se decía con angustia y arrepentimiento: "Ya hoy no la cuento. ¿Por qué no me defendí a tiempo? ¿Por qué no puse una pausa a tiempo, cuando todavía tenía fuerza?". A su vez rezaba y le pedía a Dios: "Dios mío, perdóname. Por favor, perdóname. No me hagas irme ahorita".

Debido a que Anahí pasó hambre durante muchos años, su cuerpo ya no aceptaba alimento. Por ello, durante unas vacaciones familiares, ella se desmayó y de inmediato fue trasladada a un hospital. Una vez allí se le empezó a dormir todo el cuerpo y "sintió que se iba". El corazón se le había parado por ocho segundos porque los electrolitos de su cuerpo estaban muy bajos.

Cuando despertó lo primero que vio fue a sus padres apretando su mano, llorando y diciendo: "Aquí estamos, mi niña. Todo está bien". En ese momento agradeció estar viva y le dijo a Dios que si la levantaba de esa cama, le juraba que saldría de su enfermedad. Y a partir de ahí nació una guerrera que ese día dijo: "Mi vida cambia hoy". Entonces comenzó a tratarse conscientemente. Estuvo ocho meses en recuperación donde le dieron medicamentos para que su cuerpo pudiera estabilizarse, ya que todo su metabolismo estaba alterado.

Hoy es libre de la anorexia y de la bulimia. Sin embargo, la cantante comenta que esa enfermedad siempre estará con ella, y por eso necesita comer bien todos los días, ya que si un día se le "olvida", puede volver a recaer.

Hoy Anahí está felizmente casada y tiene un hermoso hijo. Además, da charlas en diversas escuelas para contar su historia y concientizar a jóvenes que pasan por un trastorno alimenticio sobre su peligro. También participa en diversas campañas, una de ellas con el nombre "Si yo puedo, tú también", y grabó un video en contra de la anorexia difundido en Youtube en donde da el siguiente mensaje:

"¿Eres de las que sueña con ser una princesa? ¿Sabías que a las princesas no se les cae el pelo, no tienen la piel seca ni los dientes manchados? ¿Alguna vez viste a una princesa con un tubo en el estómago? Con la anorexia y la bulimia no conseguirás perfección ni belleza y te puedes morir. Deja de esconderte. Pide ayuda".

Karen Carpenter: la balada más triste

Aunque las cantantes y actrices Demi Lovato y Anahí pudieron salir de esta terrible enfermedad, la cantante estadounidense Karen Carpenter no tuvo tanta suerte, pues aunque cantaba como un ángel, era uno que estaba atrapado en un infierno que le arrebató su vida.

En los años ochenta, la anorexia nerviosa y la bulimia eran enfermedades poco conocidas y diagnosticadas; incluso eran vergonzosas para quienes las padecían. Sin embargo, eso no impidió que Karen Carpenter fuera una de las primeras cantantes en sufrir anorexia nerviosa.

Nacida en un hogar en donde escaseaba el amor, donde había una madre controladora, un padre desinteresado y un hermano egocentrista, Karen fue víctima de la depresión y, más tarde, de la anorexia, enfermedad que le robaría el aliento para siempre. Sin embargo, también se dice que esta llegó con la fama de The Carpenters, dúo que formó junto a su hermano Richard Carpenter, bajo el sello A&M, pues en los inicios de su carrera musical, ella estaba un poco "descuidada" con su imagen, y la prensa y cámaras la retrataban como "gordita", "rellenita", "pasada de peso".

Eso hizo que poco a poco comenzara a obsesionarse con su cuerpo y se volviera una fanática de las dietas y del ejercicio, al punto de viajar con máquinas de gimnasio y un entrenador personal. De esta manera, en poco tiempo su peso bajó a 41 kilos. Estaba tan delgada que comenzó a ocultar su esquelética figura bajo varias capas de ropa. Además de eso, empezó a tomar 90 laxantes diarios para seguir bajando de peso, pues solo estando en el hueso se sentía hermosa. Incluso se volvió experta en fingir que comía, y dejó de ir a la playa porque sus pechos desaparecieron y la gente a su alrededor la veía convertirse en un cadáver andante.

Junto a la presión de los medios, Karen estaba rodeada de las exigencias de su hermano, de una madre que repartía cariño desigual, siendo Richard su preferido, y de un padre ausente. Por ello comenzó a odiarse a sí misma y se refugió más y más en lo único que podía controlar: su cuerpo.

Aunque en su corta vida solo deseó tener el aprecio y la aprobación de su estricta madre y de su controlador hermano, nunca los consiguió. Por eso, en 1980 decidió dejar el nido para casarse con el empresario Tom Burris, un buscavidas que dejó a su esposa y sedujo a la dulce cantante para sacarle dinero y así poder pagar sus deudas financieras.

Ella deseaba tener hijos y formar una familia, pero aquel hombre no le cumpliría ese deseo, pues se había realizado una vasectomía. La cantante, al enterarse de eso, quiso cancelar la boda, pero su madre se lo impidió porque las invitaciones habían sido enviadas y el escándalo sería inmenso si no se casaba.

Aquel matrimonio fue una pesadilla para Karen. Tom se burlaba de ella y le decía que se le notaban todos los huesos, la hacía sentir insegura, la maltrataba, abusaba de ella y la engañaba con otras mujeres. También usaba dinero de la cuenta de Karen para invertir en diferentes negocios, mientras que ella se quedaba solo con unos pocos dólares para sobrevivir.

Debido a los constantes maltratos, Karen decidió dar fin a ese matrimonio un año después de casarse, y definir su destino. Así lo hizo, y luego de separarse de Tom se sumergió en el trabajo. Planeó distintas presentaciones y grabaciones. El dúo The Carpenters había resucitado para grabar lo que sería su último disco largo, *Made in America*, y luego realizar una gira por Europa. Sin embargo, la extrema delgadez de Karen hizo que su secreto saliera a la luz. El público se sorprendía al verla tan débil y en el hueso sobre el escenario. Sin embargo, otros la veían alegre y en su mejor momento. En una entrevista una periodista le preguntó si sufría "la enfermedad del adelgazamiento", y Karen lo negó una y otra vez. También, un crítico de *Variety* sugirió que debería aprender a vestirse. Lo cierto es que Karen tardó en darse cuenta de que su *look* esquelético resultaba repelente.

A pesar de querer rehacer su vida, su psique y su cuerpo eran demasiado inestables. Durante la gira en París se descubrieron sus malas costumbres, pues Karen entró a una farmacia para comprar cantidades industriales de laxantes. También confesó que tomaba unas 90 píldoras diarias.

Luego de la gira, fue a Nueva York para verse con el psiquiatra Steven Levenkron, uno de los escasos expertos en desórdenes alimentarios. Él le recetó medicamentos para reemplazar la glándula tiroides con el propósito de acelerar su metabolismo y tratar su anorexia, pero eso solo hizo que perdiera más peso y que se le dificultara comer. Junto con aquellos medicamentos tomaba diuréticos.

Sin embargo, al ver que no mejoraba, Levenkron forzó una reunión familiar en Nueva York. Pero aquello fue un fracaso y el doctor Levenkron no pudo llegar a la raíz del trauma que había hecho que Karen cayera en la anorexia. Los padres de Karen no entendían la enfermedad. Ellos decían que su hija estaba siendo testaruda para llevarles la contraria. La madre simplemente era incapaz de mostrarle cariño a su hija, el que ella tanto necesitaba, excusándose tras las palabras: "De donde yo vengo no hacemos esas cosas". La impotencia de Karen generaba ira y sentimientos de culpa. Karen quería vomitar a su madre.

Al año siguiente fue internada en un hospital de Nueva York debido a una deshidratación extrema y puesta bajo un tratamiento que finalmente la hizo subir de peso y recuperar la menstruación. Aunque al principio la alimentaban por vía intravenosa, al avanzar el tratamiento Karen pudo comer alimentos sólidos nuevamente. Sin embargo, su cuerpo estaba tan deteriorado que el proceso empeoró la condición de su corazón.

Al volver a Los Ángeles, la brecha con sus padres aumentó, por lo que Karen decidió instalarse en un edificio de apartamentos para solteros. Ella comenzaba a mejorar. Acudió a la cena del Día de Acción de Gracias con su familia, visitó la sede de A&M para anunciar que estaba dispuesta a grabar, se compró ropa y volvió a cuidar su cuerpo.

Pero ella solo aparentaba estar feliz. La verdad es que la tristeza y la soledad la carcomían. Además, ingería grandes cantidades de jarabe de ipecacuana para inducirse el vómito, se desmayaba constantemente y dormía demasiado. Carecía de fuerzas hasta para cantar y literalmente se fue desapareciendo, hasta que la mañana del 4 de febrero de 1983, a la edad de 32 años, cuando iba a firmar el divorcio que la separaría para siempre de Tom Burris, su madre la encontró muerta en su habitación. Un paro cardíaco había acabado con su vida sin ella haber curado sus heridas. Pero el mundo tendrá el recuerdo de sus hermosas melodías.

ANOREXIA INFANTIL

Soy Danna, tengo ocho años y soy anoréxica

En agosto del 2009, el canal Discovery Home and Health emitió un documental llamado *Ocho años y anoréxica*, que relata la historia de Danna, una niña británica que sufrió anorexia cuando tenía solo ocho años de edad.

Su historia, como muchas otras, comenzó al querer perder un poco de peso. Siendo tan pequeña, Danna ya tenía una imagen distorsionada de su cuerpo, y al mirarse en el espejo solo veía grasa.

Así, de la noche a la mañana la niña solo dejó de comer. Sus hábitos alimenticios cambiaron de manera sorprendente. Primero dejó de comer la comida de su madre, luego la comida chatarra y los dulces, las carnes y las verduras, hasta que llegó al punto de no comer nada. También leía las etiquetas de los alimentos para saber cuántas calorías contenían.

Además de eso, aprendió a fingir que comía. Esparcía la comida por todo su plato para que este se viera más vacío, escondía la comida en sus mangas, debajo de la mesa, en sus bolsillos o en su cabello. Incluso bebía mucha agua antes de pesarse para así aumentar su peso. Haciendo todo esto, estaba segura de que no despertaría sospechas en sus padres.

Sin embargo, la obsesión por los ejercicios se sumó a su progresivo declive, y Danna comenzó a hacer extenuantes rutinas para bajar de peso. Hacía ejercicios durante una hora y media después de comer: saltaba por una hora y luego corría por media hora.

Pero la verdad es que ningún hijo puede ocultarles la verdad a sus padres, porque todo sale a la luz tarde o temprano. Por suerte para Danna, fue más temprano que tarde, pues a medida que pasaban los días, ella lloraba al hacer ejercicio, ya que el cansancio físico era tan grande que no podía más con su cuerpo. Sin embargo, las voces en su cabeza eran más fuertes que ella y no podía detenerlas. Estas le decían que no debía comer y que debía hacer ejercicio para seguir adelgazando. De esta manera, la obsesión de Danna se hizo tan fuerte que además de no comer nada dejó de tomar agua.

Así, al pasar unas semanas, su delgadez era demasiado notoria. Sus padres confirmaron con temor que ella tenía un problema serio y que tenían que llevarla a una clínica de inmediato. Entonces tomaron la decisión de internarla en el Rhodes Farm Clinic, un centro de rehabilitación para jóvenes con anorexia situado en Londres. Al ser internada, Danna lloraba y les decía que si la dejaban en ese lugar no volvería a comer nunca más. Así que todo tuvo que ser a la fuerza. Las enfermeras le inyectaron glucosa intravenosa para alimentarla, pero ella se resistía. La pequeña estaba tan delgada que sus órganos comenzaron a fallar y los doctores les dijeron a sus padres que su hija no sobreviviría si seguía así.

En el centro de rehabilitación la pequeña fue sometida a un riguroso y controlado régimen de "realimentación" que consistía en que las pacientes debían cumplir la meta de recuperar peso (un kilo por semana).

Danna luchó por realimentarse en doce semanas con el fin de regresar a su casa con su familia. Al principio fue muy difícil, y al igual que en casa hacía maromas y trampas con la comida para que las enfermeras y los médicos creyeran que se la había terminado de comer completa. Su madre explicó que para una anoréxica es importante dejar el plato limpio para que todos a su alrededor crean que se está recuperando.

Según las indicaciones de los médicos, la niña debía consumir 2.500 calorías, lo que significaba que ahora debía consumir 2.400 calorías más de las que consumía normalmente (entre 100 y 175 calorías por día), un 50% más para una niña de su edad. Ella había hecho una dieta extrema.

Además del estricto proceso de alimentación por el que pasó, Danna también fue sometida a una exhaustiva terapia psicológica para encontrar el origen de su problema.

Al pasar las 12 semanas, Danna había logrado aumentar de peso y llegar a un peso sano, por lo que pudo salir de la clínica y volver a casa con sus padres.

Actualmente Danna es una adolescente normal que disfruta su vida y el cariño de su familia.

Esta pequeña de ocho años mostró su gran fortaleza interior y no se dejó vencer por la anorexia.

Por desgracia la historia no resulta igual para todos los niños, pues aunque muchos sobreviven a esta enfermedad, tristemente otros no pueden llegar a contar su historia, pues se quedan a mitad del camino hacia la recuperación.

Lo cierto es que hoy en día los casos de anorexia infantil son cada vez más frecuentes, y por ello es muy común ver a niños de entre siete y doce años padeciendo este y otros trastornos alimenticios debido a una cruel sociedad que impone tener una imagen perfecta que todos debemos seguir para no ser desplazados solo por su aspecto físico.

CASOS ExTREMOS DE ANOREXIA:

Jeremy Gillitzer: el modelo que dejó una marca en sus fotos

Además de afectar la anorexia a mujeres y niños, esta atrapa también a los hombres, y es llamada también "manorexia" (man: "hombre" y norexia: "anorexia"). Se presume que uno de cada diez hombres la padecen, y que el 10% de los casos de anorexia son los que afectan a ellos. Sin embargo, en los últimos años la cifra ha aumentado a un 25% de casos de hombres anoréxicos y hasta un 40% de bulímicos, especialmente en la franja de edad que va de los 13 a los 18 años.

Aunque pidió ayuda en numerosas ocasiones a lo largo de su vida, siempre acabó vomitando sus frustraciones en el cuarto de baño. Aquel no era un problema solamente físico; él arrastraba miles de tormentos desde niño que solo se suavizaron durante los años que tuvo una relación amorosa. Sin embargo, tras la ruptura, su vida volvió a romperse por completo y allí inició una espiral de desesperación, desesperanza y fracaso que lo llevó a su muerte cuando apenas tenía 38 años.

Cuando tenía doce años, el modelo estadounidense Jeremy Gillitzer comenzó a sufrir anorexia nerviosa debido a las constantes burlas de sus amigos y compañeros de clase por su exceso de peso. Ligado a eso, el tormento que sentía por su orientación sexual y el clima de inestabilidad en su casa, del que se refugiaba en la calle o en casa de algún amigo, hicieron que Jeremy encontrara como única salida el dejar de comer. Solo de esa forma podía deshacerse de aquellos kilos de problemas y complejos que tanto lo afectaban. Eso lo ayudaba a manejarse mejor con todo lo que sentía. Como cereza del pastel, en casa siempre le decían que estaba gordo y lo "animaban" a adelgazar con sus constantes críticas.

De esta manera, acosado por las burlas de sus compañeros y de su propia familia, Jeremy inició una dieta cada vez más estricta para bajar de peso, la cual al final de su vida terminó consistiendo en agua y una manzana o un sándwich diario, vomitar después de darse atracones, y pasar largas horas de entrenamiento en el gimnasio para "bajar esos kilos de más" y así lograr que sus huesos se notaran más que sus músculos.

Aunque en un principio a su familia le gustaba que Jeremy se esforzara por bajar de peso, pronto comenzaron a notar que algo andaba mal con él, pues observaban cómo el adolescente comía cada vez menos hasta el punto de probar solo bocaditos en la cena. Al ver que su peso poco a poco se reducía a 25 kilos, su familia decidió internarlo en el hospital pediátrico Saint Paul con solo doce años. Allí le diagnosticaron anorexia nerviosa. A los catorce años comenzó a robar laxantes de la farmacia local, y más tarde fue internado nuevamente, esta vez en el Hospital Universitario de Minnesota, donde aprendió a vomitar en el ala de psiquiatría. Así, además de sufrir anorexia, la bulimia había llegado a su vida para quedarse para siempre.

Sin embargo, algunos años después aquel tormento cesó cuando la tranquilidad llegó a su vida en forma de un amor. Así, el abrumado joven de 21 años vio una luz al final del túnel, y entre alegrías y sonrisas fue soltando aquel pesado saco lleno de problemas e inquietudes que venía cargando desde hacía tanto tiempo.

De esta manera, la anorexia y la bulimia parecían ser un oscuro episodio en su vida que el modelo dejaba atrás para siempre. Su vida parecía cobrar sentido por primera vez: el amor había tocado a su puerta, había hecho nuevos amigos, en su trabajo como modelo le iba muy bien, tenía un cuerpo bien formado y unos bíceps voluminosos.

Sin embargo, después de cinco años, la relación amorosa se terminó, y aquella pesadilla que había quedado en el pasado volvió con más fuerza, y esta vez, para robarle su respiración para siempre. Junto a la ruptura, la enfermedad de su madre y dos accidentes de auto hicieron que el joven se sumiera en una depresión que sería, en compañía de la ansiedad, lo que lo uniría más a la anorexia y a la bulimia. Así, la vida diaria de Jeremy, desde la mañana hasta la noche, era una combinación de atracones de helado de crema que luego vomitaba, de ejercicio compulsivo que realizaba durante cinco horas o más, y de fuertes estados de depresión y ansiedad.

De esta manera fue adelgazando más y más hasta pesar tan solo 29 kilos. Y en el año 2010, a la edad de 38 años, su cuerpo no aguantó más y murió en medio de múltiples tormentos que no supo cómo resolver. A pesar de intentar pedir ayuda en numerosas ocasiones, no tenía fuerza de voluntad y siempre acababa yendo al baño a vomitar todo su dolor, sus problemas y su soledad, pues como él mismo dijo: "Vomitar es una forma de eliminar la ansiedad".

A pesar de haber luchado durante más de 25 años contra la anorexia y la bulimia, y haber perdido la batalla, los últimos años de su vida Jeremy escribió en su *blog* todo lo que le sucedía con respecto a su enfermedad, e hizo una sesión de fotos para concientizar a las personas sobre la espeluznante realidad de los trastornos alimenticios. "Quiero evitar que otros acaben como yo. Llevo dos años enfermo de veras, las cosas están peor que nunca y no puedo ni mirarme al espejo", comentó en una entrada de su *blog*, afirmando sentirse asqueado por su aspecto.

Valeria Levitin: la mujer más delgada del mundo

Los padres de Jeremy Gillitzer le decían que estaba gordo desde muy pequeño y se alegraban que hiciera ejercicio para bajar de peso. Sin embargo, al ver que algo andaba mal, actuaron rápidamente para ingresarlo en el hospital infantil y tratar su anorexia.

Pero en este nuevo caso, la madre de Valeria Levitin fue la que hizo que su hija cayera en el hueco de esta terrible enfermedad sin ser capaz de ver que su hija estaba muriendo lentamente.

Considerada la mujer más delgada del mundo, la rusa Valeria Levitin, de 40 años de edad, hoy pesa solo 25 kilos y lucha por salir de la anorexia luego de 25 años de padecerla. Aunque todo comenzó por querer bajar un poco de peso, ahora no puede subir los kilos necesarios para estar saludable y ha estado al borde de la muerte en varias ocasiones.

Desde muy pequeña, en medio de una familia donde el sobrepeso no era un problema extraño, la madre de Valeria siempre la presionó para que fuera delgada. Le repetía una y otra vez que se veía gorda,y le decía lo que debía o no comer para que no subiera de peso. También la hacía pesarse constantemente para vigilar que no subiera algunos kilos. Quería que su hija fuera perfecta. Además de eso, sus compañeros en el colegio le hacían *bullying* y la llamaban "gorda". Ese fue el comienzo del fin para Valeria, pues la obsesión por su cuerpo y por adelgazar empezó a cobrar vida a raíz de todas esas burlas y críticas.

Al mudarse a Estados Unidos, todo empeoró, pues Valeria quería encajar en ese mundo y ser aceptada por los demás. Por ello sintió que debía ser delgada para lograrlo, y fue allí cuando su obsesión alcanzaría los límites más insospechados.

Sumado a esto, Valeria incursionó en el mundo del modelaje, algo que agravó las cosas, pues le dijeron que si quería entrar en él debía bajar 10 kilos. Ella hizo lo que le pidieron, pero a pesar de eso, en muchas entrevistas le llegaron a decir que *"tenía demasiada carne en los huesos"*.

Sin embargo, eso no la detuvo para llegar a ser finalista en el concurso *Miss Chicago* en 1994. Pese a eso, su obsesión con la comida se hizo más y más fuerte hasta entrar en un círculo vicioso en el que se potenció aún más su necesidad de perder peso, y del que hoy no ha podido salir. Así, Valeria fue eliminando alimentos de su dieta: primero los azúcares y los carbohidratos, hasta el punto de no poder ganar peso nunca más, ya que su cuerpo no puede tolerar ni procesar muchos de los alimentos que antes le gustaban. Ahora apenas puede distinguir el sabor de los alimentos, y cualquier cosa que ingiere le causa un dolor insoportable.

De esta manera, Valeria hoy sobrevive a base de complejos vitamínicos y de café bien cargado. Todas las mañanas se toma un litro para poder aumentar su presión sanguínea y así evitar mareos y desmayos, o algo peor. Además, toma pastillas para evitar que algún golpe le produzca un moretón, ya que es tan frágil que cualquier golpe o caída podría hacer que todos sus huesos se rompan.

Así, tareas diarias y sencillas como vestirse, caminar o subir las escaleras son una odisea para ella. Apenas tiene energía suficiente para ir a recibir los ingresos del seguro de desempleo y estudiar a duras penas la carrera de Economía.

Sumado a esto, regularmente visita a un nutricionista que le receta proteínas, carbohidratos y grasas que ella debe tomar estrictamente bajo un régimen, pues de lo contrario las consecuencias podrían ser fatales.

Hoy Valeria vive en Mónaco y es una de las mujeres más solitarias del mundo. Sabe que aquella desgracia se la ha causado ella misma, y no pasa un solo día en el que no se arrepienta de ello. "La anorexia arruinó mi vida. Me dejó sola, sucia y poco atractiva para los demás", lamenta. También dice que "es muy complicado tener una relación sentimental cuando no puedes compartir con tu pareja varias cosas, como ir a restaurantes o disfrutar la vida. La gente no quiere estar cerca de alguien que no está bien o es pesimista". Por esta razón, su sueño de formar una familia se ha visto truncado por su propia obsesión. El querer adelgazar cada vez más para poder encajar mejor en un mundo donde la apariencia se valora más que los sentimientos se volvió en su contra, y ahora su vida está llena de tristeza y soledad.

Sin embargo, hoy Valeria aporta su granito de arena para evitar que más jóvenes destruyan su vida por la terrible obsesión de verse delgadas y conseguir así "la figura perfecta". Al igual que Jeremy Gillitzer, Valeria, a través de sus fotos, retrata el oscuro mundo de la anorexia, una dura realidad que apenas comienza con un inocente deseo por querer bajar algunos kilos de más.

También participó en un *show* ruso llamado *Tonight* para hablar de su desorden alimenticio y alertar a los jóvenes que están pasando por el mismo problema para que tomen consciencia de que esta enfermedad no es ningún juego. Ella dice que la anorexia, más que un problema, es una "falta de armonía entre el cuerpo y el alma".

Sin embargo, horrorizada, Valeria cuenta que existen jóvenes que la colocan en un pedestal: "He recibido correos electrónicos de jóvenes que quieren que les enseñe a ser como yo. Todas las cartas son de mujeres que rondan los veinte años y que me ven como una inspiración. Es por ello que llevo a cabo una campaña contra la anorexia. No les enseñaré cómo morir. No es un juego, no es una broma, es su vida".

Hoy el corazón de Valeria está exhausto y menciona que no hay nada *cool* ni glamoroso en tener esta enfermedad, ni en que la gente la mire como si fuera un bicho raro cuando camina por la calle. "No hay nada de bueno en morir así, sin poder vivir verdaderamente". Además, asegura que nunca tuvo a tiempo el apoyo de su madre, quien la llama "cadáver viviente", y que si lo hubiese recibido, hoy sería la mujer delgada, alegre y atractiva para los hombres que fue en su adolescencia, antes de padecer esta terrible enfermedad.

Finalmente, más allá de cada caso y de cada historia, unas más tristes y conmovedoras que otras, pero todas aleccionadoras, detrás de cada espejo, de cada experiencia de vida marcada por esta enfermedad, no nos queda más que hacer una mirada profunda y sincera al propio reflejo.

Hay que eliminar cualquier destello de este mal llamado anorexia que puede acabar con nuestras vidas. Esta enfermedad se presenta con apariencia de princesa que nos atrae, pero resulta ser un monstruo silente. Puede actuar detrás de las exigencias de los crueles medios de comunicación, o detrás de la voz de cualquier persona que nos quiera ver "perfectos". Lo peor de todo no es eso, este es un mal que distorsiona la propia imagen, haciéndonos olvidar del todo cómo somos en realidad hasta perder la identidad.

El sistema se impone, pretende implantar un modelo de apariencia física que ejerce presión sobre nosotros, pero cada uno escoge aceptarse y amarse tal cual es, o escuchar esas voces que nos invitan a dañar nuestro propio cuerpo.

La verdadera belleza se encuentra más allá de un espejo.

Si te enfocas en la belleza de la Creación, te darás cuenta de que tú también formas parte de ella, y que, por eso, eres hermosa, pues fuiste creada a la imagen y semejanza de Dios.

CAPÍTULO **6**

EN CONTACTO CON OTROS ESPEJOS

Ejercicios para prevenir o superar la anorexia

Solo puedes lograr soltar la enfermedad
cuando tú, y solo tú, decides hacerlo;
cuando comprendes que esa
no es la vida que deseas tener,
sino que quieres y aspiras a más.

YULIANA GUERRA

Entrevista número 1: Yuliana Guerra, 26 años

Veía el reloj. Ya faltaba poco para que Yuliana llega- ra. La verdad es que estaba ansiosa por conocerla a ella y su historia. Haber sufrido anorexia y lograr salir triunfante de ella, me ayudaba a conectarme con otras personas que habían sufrido lo mismo que yo, y me permitía ayudar a otros. Tocaron a la puerta. La entrevistada de esta noche había llega- do. La saludé amablemente y enseguida nos sentamos a conversar.

ROSANGÉLICA BARROETA: Yuliana, bienvenida –le dije con una sonrisa.

YULIANA GUERRA: Muchas gracias, Rosangélica–respondió ella.

R.B: Yuliana, ante todo quiero agradecerte tu disposición y tu tiempo para dar esta entrevista y dejarme entrar en una parte tan íntima de tu vida. Bienvenida nuevamente. Esta será más que una entrevista. Será una conversación de la que estoy segura que muchos aprenderemos y en la que ayudaremos a mucha gente.

Y.G: Espero que así sea –sonrió.

R.B: Bueno, ahora cuéntame un poco cómo comenzó todo esto. ¿Cuándo y por qué comenzaste a sufrir anorexia?

Y.G: Todo comenzó cuando mis padres tomaron la decisión de divorciarse. Yo tenía trece años en ese tiempo, por lo que me encontraba en plena etapa de cambios de todo tipo, pues además de los cambios físicos que le ocurren a cualquier adolescente, experimenté otros como mudarme de casa, entrar a un nuevo colegio y conocer nuevos amigos. Para mí esa fue una etapa muy dura, pues siempre he sido una persona a la que se le hace difícil adaptarse a los cambios.

R.B: Comprendo. Cuéntame un poco más acerca de esa experiencia tan difícil para ti. ¿Qué sucedió exactamente?

Y.G.: Bueno, mis padres cometieron el grave error de involucrarme en sus problemas maritales. Fue tanta la angustia de encontrarme en medio de sus discusiones y ser la que aguantara todos sus desahogos que creí volverme loca. La depresión que tenía era tanta que, sinceramente no me provocaba comer. Todos los días me despertaba escuchando de parte de mi mamá frases como: "Tu papá esto"; "Tu papá lo otro"; "Le voy a quitar esto"; "Él no sirve"; "No me aporta nada"; "No lo vas a ver". Escuchar aquellas palabras de verdad me dolía mucho, pues para mí mi papá siempre ha sido el hombre más maravilloso de mi vida.

Por otra parte, cuando estaba en el liceo, mi papá se acercaba a la hora del receso para verme. Me decía que mi mamá no lo dejaba verme, que le estaba haciendo esto, lo otro. Todo eso me fue afectando de tal manera que llegó el punto en que yo me sentía en el limbo. Mis compañeras de clase se preocupaban porque pasaba todo el día sin comer nada, y en el momento que hacía el intento de comer porque tenía hambre, me daba un acceso de tos ydebía irme corriendo al baño porque sabía que en pocos minutos estaría vomitando.

R.B.: Wow, qué terrible –le dije mientras mi rostro expresaba asombro y aflicción ante sus palabras–. ¿En qué momento te diste cuenta de que la situación estaba fuera de tu control?

Y.G.: Sentí que todo se salió de control cuando mis amigas, sus madres, e incluso la psicóloga del colegio, pasaron a estar siempre en un estado de alerta conmigo, ya que mi rendimiento escolar bajó al 100%. Yo les suplicaba a mis amigas que me llevaran a sus casas para no estar en la mía, y una vez allí pasaba lo mismo de siempre: al momento de comer sentía mucha vergüenza, siempre tenía ganas de vomitar, evitaba comer en la mesa o con personas porque sabía que otra vez me daría el exceso de tos y terminaría vomitando.

En ese momento mis padres ya no vivían juntos, y era más el tiempo que mi mamá estaba en la calle que el que pasaba conmigo. Por eso yo pasaba muchas horas sola la mayor parte del día.

Cuando mi mamá llegaba del trabajo yo ya estaba dormida, y lo único que alcanzaba a decirme era que tenía que tomar vitaminas porque el desarrollo me tenía muy delgada.

R.B.: ¿Y qué decía tu voz interior en ese momento?

Y.G.: Yo realmente no entendía cómo mi mamá no se daba cuenta del daño que me estaba haciendo con su actitud. Creo que nunca lo quiso aceptar. Y eso me hacía sentir peor y hacía que mi rechazo a la comida fuera más fuerte.

R.B.: ¿Cómo continuó esa situación?

Y.G.: En el colegio citaron a mis padres, ya que la psicóloga me hizo una pequeña consulta en la que le expresé todo lo que sentía. Le dije que me sentía sola y muy triste por todo el daño que mi mamá le hacía a mi papá, por alejarme de él y por separarnos como familia, así como por todas las cosas crueles que mi mamá quería hacerle a mi papá en su trabajo. También le dije que no quería seguir vomitando pero que no hallaba la forma de dejar de hacerlo, pues ya era algo inevitable. Le hice sentir que no quería seguir viviendo.

Solo mi papá asistió a la citación, y solo él cambió un poco en cuanto a los patrones que había adoptado para llegar a mí. Me seguía viendo en el colegio, pero ya no me hablaba mal de mi mamá. Intentó conversar con ella acerca de todo lo que los profesores y la psicóloga le habían comentado en el colegio, pero fue inútil. Mi mamá solo pensó que todo aquello era una manipulación de mi parte para hacerme la víctima y hacerla quedar a ella como la mala del cuento. Como resultado por "hacer ese *show*", me golpeó. Yo sentía mucho dolor por su carácter tan frío y duro. Lo que ella no sabía o no quería ver es que lo que yo sentía no era un *show*; era algo que yo ya no podía manejar.

R.B.: Qué espantoso. No puedo imaginar el sufrimiento que tuviste que pasar. De verdad lo siento mucho –dije impresionada ante su anécdota mientras le colocaba una mano en el hombro en señal de apoyo–. ¿Qué otra cosa sucedió?

Y.G.: La mamá de mi mejor amiga fue la que tomó la decisión de llevarme al psicólogo porque me veía muy mal. Estaba extremadamente delgada, el tema de la comida era cada vez más caótico, y ella decidió llevarme a escondidas al médico porque sentía que debía ayudarme, ya que con mi mejor amiga y su familia yo me desahogaba muchísimo.

El psicólogo también era psiquiatra, y después de tres evaluaciones me diagnosticó anorexia nerviosa. Fueron muchos los intentos que se hicieron para que mi mamá asistiera al psicológico conmigo. Sin embargo, hasta el sol de hoy, ella nunca asistió.

Pero mi papá sí fue a terapia conmigo y fue él quien tomó las riendas del asunto. Me acompañó a ver a varios nutricionistas y juntos comenzamos el proceso de superar esta enfermedad. Pero cada vez era más difícil porque la situación con mi mamá era inmanejable. Ella siempre pensó que todo esto era un *show*, aun cuando ya estaba diagnosticada.

Creo que el único momento que lo tomó en serio fue en una de las oportunidades que me desmayé en el colegio y me tuvieron que hospitalizar porque mis valores nutricionales estaban por debajo de lo debido y mi peso era cada vez peor. Cuando se dio cuenta de eso, tomó la decisión de llevarme con mi abuela porque sabía que estar con ella no me estaba haciendo bien, y si seguía así, jamás iba a salir de ese cuadro tan delicado en el que meencontraba.

Pero esa decisión solo empeoró las cosas, pues mi mamá me hacía sentir culpable de todo. Ella me trató siempre como una malagradecida. Yo pensé que mudarme con mi abuela iba a hacer que todo mejorara, pero no fue así, sino todo lo contrario: retrocedí diez veces más.

R.B.: ¿Cuándo decidiste cambiar?

Y.G.: Recuerdo que una de las cosas que más me marcabaera ir a la playa. En un asueto de Semana Santa la mamá de mi mejor amiga me invitó y mi papá me dejó ir. Yo estaba muy emocionada porque me encantaba la playa y porque pasaría varios días alejada de mi mamá y de los problemas en casa. Tendría paz y estaría con mi amiga y su familia. Pero no sabía que en la playa todo sería peor. Recuerdo que durante esas vacaciones de Semana Santa fuimos a Bahía de Cata, Venezuela, y allí fui la burla de todos. Las personas me veían como una loca, se reían porque estaba muy delgada y demacrada; era un esqueleto andante y eso les causaba gracia. Recuerdo que lloré mucho y sentí un dolor punzante en mi pecho. Fue uno de los momentos más grises de mi vida de cuando tuve anorexia.

Aun cuando la familia de mi amiga me motivaba y me hacía sentir cómoda, yo estaba muy triste. Me distraían en el momento de comer apenas veían que comenzaba a toser ininterrumpidamente y trataban de distraerme. Pero en esa oportunidad no funcionó y terminé vomitándolos a todos. Fue muy vergonzoso y me sentí muy mal. Sin embargo, ese día reflexioné y me pregunté a mí misma hasta cuándo iba a seguir así. Me dije que quería comer bien, que quería disfrutar de la comida que más me gusta, comer con libertad y no sentir ganas de vomitar cada vez que intentaba hacerlo. Estando en aquel momento de introspección y reflexión lloré muchísimo. Pero ese fue el comienzo de mi libertad. Ya llevaba tres años siendo presa de la anorexia y no podía seguir así porque me estaba muriendo.

R.B.: Qué bueno que te diste cuenta a tiempo de que estabas enferma y que ya no querías seguir en ese camino. ¿Cuál fue el plan que te trazaste para dejar la anorexia?

Y.G.: Bueno, mi vida estaba hecha un caos, así que tuve que hacer muchos cambios en ella para poder salir de mi enfermedad. Empecé a comer porciones muy pequeñas de comida, pero más veces al día, en lugar de servirme todo en un plato. Prefería porciones pequeñas en tacitas, que servirme un plato repleto de comida, porque sentir que me faltaba demasiado por comer me generaba ansiedad y estrés, y eso hacía que apareciera de la nada el ataque de tos y, por consecuencia, el vómito.

Otra cosa que hacía era escuchar música, la que más me agradara. El momento de la comida era sagrado para mí; no conversaba con nadie o trataba de que ese fuera el instante más armonioso de mi día. Evité por un tiempo comer acompañada para no generar preguntas que pudieran incomodarme o ponerme nerviosa y, por tanto, que me hicieran vomitar. Porque no todos tienen la capacidad de comprender que tienes una enfermedad que no puedes controlar.

A medida que iba superando etapas, me iba proponiendo más metas para vencer la enfermedad. El nutricionista y el psicólogo fueron de gran ayuda, pero todo mejoró completamente cuando yo asumí lo que me estaba pasando. Y a los diecinueve años ya era libre de la anorexia. Solo tuve dos recaídas, pero siempre estuve de la mano de mi papá y de los médicos que me apoyaron. Mi mamá siempre se mantuvo al margen después de ver que la situación por la que estaba atravesando no era un *show*, sino que realmente estaba enferma. Nunca asumió su parte en todo esto, aun cuando intenté mil veces hablar con ella. Por eso mi papá y yo llegamos a la conclusión de que ella es una persona enferma y que seguramente tiene algún síndrome. Pero mientras no sea capaz de reconocerlo y de asumirlo, y no esté dispuesta a buscar ayuda, no podemos hacer absolutamente nada para que cambien sus actitudes.

Lo único que me quedó de la enfermedad, pero que he manejado muy bien hasta ahora, es que en momentos de angustia, nervios o presión, me dan ganas de vomitar o esa sensación terrible en el estómago.

Una cosa que aprendí de la anorexia es que no puedo superar mis límites al momento de comer. Si digo que estoy llena y que ya no me cabe más nada de comida, entonces hasta allí debo comer, porque si me queda un pedacito de comida y me lo como, me caerá mal, y al rato al llegar a casa lo vomitaré.

R.B.: Excelente. De verdad me alegra mucho escuchar que la anorexia es un tema del pasado y a pesar de que aún quedan vestigios o secuelas de la enfermedad, lo has sabido manejar con éxito y hoy estás muy bien y más fuerte que nunca. Ahora cuéntame, ¿cuál o cuáles fueron las lecciones principales que te dejó el hecho de poder vencer la enfermedad?

Y.G: Bueno, me dejó varias lecciones muy valiosas. La primera que quiero compartir es que, como persona con anorexia, solo puedes soltar la enfermedad cuando tú, y solo tú, decides hacerlo; cuando entiendes que tienes un problema, y que solo tú lo puedes resolver, cuando comprendes que esa no es la vida que deseas tener, sino que aspiras a más.

La segunda lección que me dejó todo este proceso es que salir de la anorexia es una cuestión de tiempo. Hay días mejores y otros peores, pero con voluntad todo se puede.

También me enseñó que hay que hacer un plan y tener disciplina para salir de esta enfermedad. Eso es fundamental, porque si te descuidas pierdes y caes de nuevo. No podemos proponernos cosas ambiciosas como metas; hay que ir paso a paso, y cuando logremos cumplir una etapa, ir a la siguiente.

La persona con anorexia necesita herramientas para que su ser interior sea fuerte. Esta no es una enfermedad que se resuelve solo con el psicólogo y el terapeuta. No. Se necesita la fortaleza interior para salir de esto, porque puedes tener toda la ayuda del mundo, pero si no la aceptas, no podrás superar la enfermedad y te quedarás estancado. Y puede que no vivas para contarlo.

Otra cosa que debemos tomar en cuenta en el proceso de superación de cualquier enfermedad es que cuando una persona nos hace daño y no podemos hacer nada para que cambie, por mucho que la queramos, lo mejor es alejarnos de ella, ya que sus actos pueden dañarnos y enfermarnos. Por eso hay que tener mucho cuidado con las personas a quienes elegimos como amigos o pareja.

Esta mala experiencia me enseñó muchas cosas, como por ejemplo ver bien en quién debo confiar y en quién no, así como saber quiénes me quieren y me apoyan en todo momento. Me enseñó que hay personas tóxicas de las que es mejor alejarse por nuestro bien, aunque las queramos mucho. Hoy, a mis 26 años, me siento feliz, tranquila, plena. Me he enfrentado a tantos retos como lo es emigrar con mi pareja. Y confirmo cada día que la anorexia me hizo una mujer invencible y decidida, que conoce sus límites y sabe manejar cada una de sus emociones sin dañarse, sacando lo mejor de cada situación difícil.

R.B.: Me alegro mucho de que hoy seas una mujer feliz y segura de ti misma, y que haber pasado por esta situación te haya hecho crecer como ser humano.

Y.G.: Gracias a ti, Rosangélica, por ser portavoz de lo que la anorexia les hace a las personas, por ayudar a todo aquel que hoy en día está pasando por este túnel oscuro, del cual sí hay salida solo si uno está decidido a hacer la vida que sueña. Por mi parte, yo perdoné a mi madre, y sé que cuando todo se torna tóxico con ella, me aparto sin lastimar. Espero que mi caso sea de gran aporte para ayudar a quienes estén pasando por esta situación.

R.B.: Gracias por contar tu historia –dije con una sonrisa para luego despedirnos con un abrazo.

Entrevista número 2: Andrea Paola, 32 años

ROSANGÉLICA BARROETA: ¡Andrea, me da mucha alegría que hayas venido!

ANDREA PAOLA: Muchas gracias por invitarme, Rosangélica –dijo ella sonriendo y luego nos sentamos en el sofá para comenzar la entrevista.

R.B.: ¿Cómo estás? Te ves muy bien.

A.P.: Muchas gracias. Estoy muy agradecida por venir y contarte mi vivencia que espero pueda ayudar a personas que están pasando por esta situación. Eso me haría muy feliz.

R.B.: Estoy segura de que así será –le dije sonriendo–. Ahora hablemos un poco sobre tu enfermedad. ¿Qué te llevó a padecerla?

A.P.: Bueno, es una historia bastante extensa de contar, pero todo empezó cuando emigré de Venezuela hacia Panamá, y allí subí algunos kilitos de más. Yo no me había dado cuenta de eso porque me veía todos los días en el espejo, pero cuando fui a visitar a mi familia y amigos en Venezuela, ellos comenzaron a comentar que había subido de peso de una manera "aliviada". Estaban un poco sorprendidos porque yo había pasado de ser súper flaca a "tener carne". Ellos pensaron que aquello que estaban haciendo era una gracia, pero en verdad cada comentario causaba demasiado eco en mí.

R.B.: ¿Entonces qué sucedió después?

A.P.: Bueno, como todos esos comentarios me afectaban mucho y me hacían sentirme mal con mi peso, cuando llegué de nuevo a Panamá decidí empezar una dieta para bajar los kilos "de más" que tenía o que creía tener. Pero esa dieta fue volviéndose cada vez más estricta y yo terminé obsesionándome con mi peso, con la comida, y con ser cada vez más delgada. Cada vez comía menos y entrenaba más, me la pasaba todo el día leyendo cosas en Internet acerca de cómo bajar de peso, de las calorías que debía ingerir para adelgazar, del truco del vinagre de manzana en ayunas y un montón de cosas para acelerar el metabolismo y,por ende, entrar en el proceso de perder peso, el cual yo creía que era interminable.

Hacía ejercicios alrededor de cuatro horas diarias en el gimnasio, me aseguraba de quemar al menos 1.000 calorías todos los días, y procuraba no consumir más de unas 800 a 1.000 calorías al día. Es decir, básicamente procuraba consumir menos de lo que quemaba al día, porque yo creía que de esa forma iba a tener el cuerpo de mis sueños y así sería feliz.

R.B.: Entiendo. Debió ser muy duro ese proceso, cuando quedaste atrapada en la anorexia sin darte cuenta, y más estando lejos de tu familia y amigos, sin recibir ningún apoyo –le comenté.

A.P.: Lo fue.

R.B.:¿En qué momento te diste cuenta de que no podías controlar lo que te estaba sucediendo?

A.P.: Me di cuenta de que todo se salió de control cuando empecé a tenerle un miedo horrible a la comida; ya tenía como tres meses en "dieta". Allí supe inmediatamente que tenía un problema. Aquello era tan obsesivo que yo misma tenía que prepararme mis comidas porque todo tenía que estar bajo control. Yo tenía que sentir que todo estaba totalmente controlado, y pensaba que si alguien más me preparaba la comida, iba a ponerle algo que me hiciese engordar. Era una locura.

R.B.:¿Qué decía tu voz interior en ese momento?

A.P.: Que estaba loca, que tenía que buscar ayuda médica urgente, porque si no lo hacía todo podría empeorar y llegar a algo que era mejor ni pensar.

R.B.:¿Qué hiciste al tomar consciencia de que estabas enferma?

A.P.: Busqué ayuda. Fui al psicólogo y al nutricionista. La psicóloga me dijo que por la gravedad de mi estado necesitaba ayuda profesional y ser medicada urgentemente. También me dijo que debía ir al psiquiatra porque ella ya no podía hacer nada por mí.

Ante aquellas palabras, la desesperanza se apoderó de mí, y sentí que el mundo se me venía encima. Por otro lado, la nutricionista me dijo que ya no tenía músculos, ya que en tres meses había perdido diecisiete kilos. Ella me hacía exámenes físicos e intentaba hacerme entender que mi cuerpo estaba comiéndose a sí mismo, incluyendo a mi corazón, el cual ya no latía sesenta veces por minuto sino cuarenta y cinco. Por eso me mandó un plan alimenticio que jamás seguí, porque no podía hacerlo. Sentía que era imposible. Me aterraba la idea de subir un gramo de peso. Me daba demasiado miedo la comida y sentía que si seguía ese plan alimenticio todo iba a salirse de control y yo engordaría hasta más no poder. Y eso era lo que querían todos.

R.B.: Wow. Y qué más hiciste para ser capaz de controlar esa situación.

A.P.: Fui a una psiquiatra, y allí por fin me diagnosticaron anorexia nerviosa y depresión severa. La psiquiatra me dijo que mi anorexia se había desencadenado por una depresión no tratada más el hecho de haber tenido que irme de mi país, dejar mi carrera a medias y venirme a Panamá sola con mi papá (que es una persona muy difícil) a empezar de cero. Cuando pasó todo eso, mi vida perdió el control y todo se salió de mis manos. Lo único que podía controlar era mi cuerpo y las dietas que hacía.

La psiquiatra me mandó antidepresivos porque ella decía que necesitábamos atacar primero la depresión para que yo pudiera salir de la anorexia, ya que esta fue un fruto de la misma. Pero mi obsesión era tanta que leí los efectos secundarios que ocasionaban las pastillas y me horroricé al saber que causaban aumento de peso. Sin embargo, esto ocurría porque la persona que las tomaba aumentaba su apetito y no porque la pastilla hiciera engordar, solo que yo no quería entender nada de eso. Era como si mi sentido común se hubiese extinguido completamente. Así que seguí por varios meses sin tomar las pastillas que me había recetado la psiquiatra.

Sin embargo, al pasar un tiempo cambié de pastillas a unas que no tenían esos efectos secundarios, pero seguía comiendo mal. Estaba obsesionada con la comida. En mi desesperación por calmar un poco mi hambre, me metía a los mercados a oler las bolsas de pan. Veía a la gente comer normal y despreocupadamente (así fuera una banana) y pensaba angustiada: "¿Cómo pueden comer eso tan tranquilamente?". Era horrible. De verdad sentía que tenía algo en mi mente que me controlaba por completo.

R.B.:¿Algo como una voz que todo el tiempo te decía que no debías comer porque engordarías?

A.P.: Exacto. En ese tiempo yo era sumamente infeliz. Lloraba todos los días. Tenía tanta hambre que me desesperaba. Ya ni siquiera podía concentrarme en otra cosa que no fuese comida.

De 62 kilos bajé a 28 en seis meses. Ni siquiera me venía el período. Pero, aparte de los malestares físicos, lo peor de todo era ver sufrir a mis papás y a las personas que me querían. Yo les decía que quería mejorarme pero que no sabía cómo. Y aquello era un círculo vicioso. Era como querer demasiado una cosa, pero no poder tenerla. Era realmente horrible. No quería morirme, pero no sabía cómo evitarlo; no sabía cómo parar. Llegó un punto en el que evidentemente los médicos tuvieron que internarme, ya que llegó un momento en el que estaba tan delgada que mi cuerpo dejó de funcionar bien y mis órganos comenzaron a fallar. Estaba en el lecho de mi muerte.

R.B.: Wow, qué terrible. ¿Y en qué momento decidiste cambiar?

A.P.: Cuando vi que me estaba muriendo, decidí que era hora de salir de aquel hueco en el que me encontraba atrapada. Estaba muy triste y harta de esa vida que llevaba, de que la comida siempre ocupara todos mis pensamientos, de que mi salud peligrara, de estar hospitalizada y ver sufrir a mis familiares y amigos por mi culpa. Entonces allí me di cuenta de que debía hacer algo para no morirme, porque la única que podía salvarse de esto era yo misma. Ahí fue cuando empecé a comer nuevamente. No fue fácil, para nada. Al principio fue muy difícil y había días en los que quería tirar todo a la basura y rendirme. Pero con voluntad, determinación y con el amor y apoyo de las personas que me quieren, pude salir adelante.

R.B.: Y lo lograste. Venciste la anorexia y hoy estás viva y disfrutando de la vida. Eso demuestra la enorme fortaleza que tienes. Me alegra mucho, de verdad –le dije con una sonrisa.

A.P.: Muchas gracias –respondió ella sonriendo también.

R.B.: Dime ¿qué aprendiste de esta experiencia? ¿Qué te llevas de todo esto para tu vida?

A.P.: Lo primero que me dejó todo este proceso es que no debemos permitirnos caer en ese estado, en uno que ponga en peligro nuestra vida, específicamente en la anorexia, como era mi caso. Cuando nos demos cuenta de que algo malo nos pasa, debemos reflexionar y poner límites enseguida.

La segunda lección que me dejó todo esto es que debemos escuchar a las personas que nos quieren, a nuestra familia y nuestros amigos. Y seguir sus consejos.

Además de eso, debemos acudir rápidamente a un profesional para que nos ayude a salir de la enfermedad y nos apoye durante todo el proceso.

Algo muy peligroso de esta enfermedad es que fingimos que nada está pasando y decidimos encerrarnos en nosotros mismos y quedarnos callados porque no queremos hablar del tema con nadie. Ese es uno de los peores errores que podemos cometer. Por ello, por más que nos cueste, no debemos encerrarnos en un cascarón ni creer que sólo nosotros tenemos la razón.

Tampoco debemos culpar a otras personas de los que nos pasa, sino más bien ser responsables de nuestros actos.

Y lo más importante es tener claridad de quiénes somos y qué queremos, porque solo así tendremos seguridad, confianza y una buena autoestima en nosotros mismos. Eso impedirá que nos sintamos mal con lo que somos o que tengamos una imagen distorsionada que nos lleve a caer en este u otros trastornos alimenticios o mentales.

R.B.: Excelentes reflexiones, Andrea. Muchas gracias por compartirlas y por haber venido a la entrevista. Estoy segura de que con tu testimonio ayudarás a muchas personas que están pasando por esta enfermedad.

A.P.: Espero que así sea, Rosangélica. Muchas gracias por invitarme.

R.B.: A ti, por venir –le dije sonriendo y luego nos despedimos.

El *coaching:* una herramienta para la vida

Después de tomar la decisión de superar la anorexia, yo estaba buscando dietas en Internet e información sobre cómo podía salir de esa enfermedad, hasta que de pronto me encontré con el *coaching*. La verdad me llamó mucho la atención, ya que jamás en mi vida había escuchado esa palabra. No tenía ni idea de qué era el *coaching*. Los testimonios de las personas que decían que el *coaching* había cambiado su vida y que las había hecho crecer eran fascinantes. En mi curiosidad, comencé a investigar qué era el *coaching*, y me encontré con que se trataba de una herramienta que te ayuda a moverte de donde te encuentras y te lleva adonde quieres llegar. Se trata de un método de ayuda que hace que la persona se adentre en su interior para explorarlo y obtenga respuestas que pueden cambiar el rumbo de su vida por completo. Asimismo, el *coaching* ayuda a que ella pueda alcanzar su máximo potencial y a lograr todas sus metas.

Gracias a este método, la persona en cuestión experimentará una gran transformación personal, un gran cambio, pues descubrirá quién es, se conocerá a sí misma y verá de forma objetiva sus cualidades o virtudes y sus defectos, y con eso creará seguridad y fortaleza en ella misma. Esto le permitirá crear una coraza para que los pensamientos negativos que puedan llevarla a caer en enfermedades graves no puedan tocarla.

Todo ello captó aún más mi atención, ya que me encontraba en el proceso de querer salir de mi enfermedad, de ser una mujer sana, porque lo que me interesaba era ser una mujer primeramente sana y estar bien en todos los sentidos. Por esta razón comencé a investigar más a fondo y me encontré con la información de que en tres meses comenzaba un nuevo curso que se dictaría en Caracas. Sin dudarlo ni un segundo, decidí inscribirme en mi primer curso de *coaching*.

Al pasar los tres meses me encontraba viajando a Caracas todos los fines de semana para tomar mis clases. Así estuve seis meses, los cuales fueron maravillosos. Cuando el curso finalizó yo era otra persona, pues cada clase me ayudó en mi crecimiento personal. Me encantó todo el proceso, todo lo que viví allí. Eso fue parte fundamental para superar mi enfermedad, porque además de sentir a Dios en mi corazón y estar siempre conectada a Él, también necesitaba una herramienta de crecimiento personal, de ayuda, algo que me diera indicaciones o me guiara a superar todas las situaciones por las que estaba pasando y a lograr mis metas. El *coaching* fue esa herramienta perfecta. Me ayudó muchísimo.

Posteriormente, quise realizar el segundo nivel. Este también me encantó, pues conocí y viví experiencias que marcaron mi vida de una manera muy positiva. Entonces, poco a poco, comencé a trabajar en mi crecimiento personal. Recuerdo que en medio de todo ese proceso comencé a llorar, pues acudían a mi mente muchas situaciones y personas desagradables. Sin embargo, para ser un diamante uno debe pasar por un arduo y doloroso proceso que conlleva altas temperaturas. El *coaching* me ayudó mucho a superarme como mujer, a dejar todas las malas experiencias que he vivido atrás, en el pasado.

Al terminar por completo el curso de *coaching* realicé otro de Programación Neurolingüística. Después, en 2015, cuando me vine a Estados Unidos, hice otro de *coaching* en una academia muy reconocida aquí, la ACCA (Academia de Coaching y Capacitación Americana). Este curso duró ocho meses. Y en el año 2018-2019 realicé el último, que entre todos los que he hecho, ha sido el más avanzado.

Y es que todos estos cursos que he realizado a lo largo de estos años han sido increíbles en mi vida. El *coaching* ha sido un regalo maravilloso de Dios. Con esta herramienta viví cosas increíbles, crecí como mujer y gracias a ella descubrí mi propósito de vida, a lo que quiero dedicarme: al *coaching*, a ayudar a muchas personas y ser *coach*. Sobre todo, ayudar a las mujeres a cumplir sus metas, sus sueños, a superarse, a crecer; ayudarte a ti. Ser tu mano amiga.

Por ello, hoy te ofrezco dos preguntas clave de reflexión que me ayudaron mucho en mi proceso de sanación y autodescubrimiento: ¿Quién soy? ¿Qué estoy haciendo en esta vida? Ellas pueden evitar que te pierdas en el camino de tu vida y hacer que vuelvas a ti misma para que puedas retomar tu rumbo y dar ese paso que tanto necesitas para salir de la anorexia. Y es que esta herramienta te ayuda a trabajar en tu autoestima y en la seguridad en ti misma.

Además, te hace ver tu propio valor y tu fuerza interior. Y llega el momento en el que te das cuenta de tu gran potencial y el propósito que tienes por cumplir.

Recuerda que por más dura que sea la tormenta, luego sale el arcoíris. Y que aquí estoy yo. Así que toma mi mano y emprendamos este viaje juntas hacia tu recuperación.

Porque la recuperación SÍ es posible. SÍ hay esperanza. ¡Si yo pude, tú también puedes salir de esto!

CAPÍTULO **7**

EL HALLAZGO MÁS ALLÁ DEL ESPEJO

Cuando abres los ojos, todo cambia a tu alrededor

Muchas veces nuestras emociones son las causantes de que caigamos en el abismo de una enfermedad mental o física. Todas las experiencias por las que pasamos dejan una huella en nosotros, marcándonos para bien o para mal. Por supuesto, las emociones están unidas a esas experiencias. Así, la noticia de un divorcio, la ruptura con una pareja, una mala relación amorosa o paternal, el quedarse sin trabajo o el *bullying* escolar, son situaciones que conllevan una fuerte carga emocional que puede ser difícil de manejar. Por ello, detrás de una persona que está "triste" o que "no quiere comer porque quiere ser como las modelos de TV o de las revistas", o que "solo quiere llamar la atención con ese estado emocional", se encuentra un alma que se esconde y a la vez pide ayuda.

En el caso de la anorexia, como ya mencioné en capítulos anteriores, se convierte en un refugio de esas emociones y situaciones que la persona no puede controlar. Sin embargo, también significa (a veces inconscientemente) esconderse de las responsabilidades y problemas, de la crítica, tras la obsesión por tener un cuerpo delgado. Así, el enfermo no acepta las responsabilidades ni es capaz de resolver problemas. Quien padece esta enfermedad cree que siendo delgado conseguirá acabar con todos sus problemas, porque en su mente ser delgado es símbolo de perfección y belleza, y la belleza "siempre está bien estimada". De allí viene una frase que dice: "Es mejor verse bien que sentirse bien", cuando la realidad es todo lo contrario. Quien huye de sus problemas solo consigue quedar más atrapado en ellos.

La anorexia va más allá de la obsesión por querer tener un cuerpo perfecto, delgado y hermoso. Es romperte poco a poco, es hundirte más y más en el vacío, en un cuerpo esquelético, débil y frágil que clama por ayuda. Es saber que detrás de esa chica delgada y "perfecta" hay un costal de huesos y un alma destrozada. Es decir: la anorexia es la unión de un estado emocional y mental no sano, más un cuerpo físico que rechaza la comida (debido a ese mismo estado emocional), pues, como mencioné en capítulos anteriores, las emociones se alojan en el estómago y se conectan con él. Y, a veces, la persona cae tan hondo en la enfermedad quecuando se da cuenta de que está atrapada ya es muy tarde para sacarla de allí.

Mariángel

En una ocasión tuve una conversación con una muchacha cuya historia me llegó al corazón. Antes de caer en la anorexia, ella pasó por una situación muy fuerte: su pareja la maltrataba, le pegaba y se burlaba de ella por su aspecto físico. Por un tiempo guardó aquel secreto. No lo habló con su madre, ni con su padre, ni con sus hermanos o sus amigos. Absolutamente con nadie. Ella siempre se quedaba callada porque tenía miedo de que su familia se alterara con la noticia y se creara un problema mayor.

Sin embargo, llegó un momento en que, cansada de soportar los constantes maltratos y las burlas, Mariángel decidió contarlo todo y separarse de ese hombre. Como él fue su primer amor, la ruptura le afectó mucho, aunque también el maltrato físico y verbal la marcaron por completo. Durante tres meses la depresión fue su compañera, esa oscura presencia que la ató para que cayera y se mantuviera en un estado de inanición. Como consecuencia de eso, ella comenzó a dejar de comer, a tal punto de no ingerir absolutamente nada, ni siquiera tomar agua. Así, poco a poco fue cayendo en la anorexia, y su estado se fue complicando aún más con la llegada de la bulimia. De esta manera, lo poco que comía lo vomitaba.

Con 25 años y una altura de 1,60 m, ¡Mariángel pesaba 17 kilos! El daño a su cuerpo fue tan grande, que sus huesos se descalcificaron y perdió buena parte de su dentadura. Al percatarse de su exagerada pérdida de peso, sus padres, alarmados, la llevaron al hospital. Allí estuvo por varias semanas, pues la realidad es que se encontraba al borde de la muerte. Cuando finalmente le dieron de alta comenzó a recuperarse y a aumentar de peso.

Hoy en día, aunque la anorexia sigue en su vida, generalmente come las tres comidas con normalidad. No obstante, aún prevalece cierta aversión por la comida y todavía rechaza algunos alimentos. Por otra parte, aún mantiene cierta distorsión en la percepción de su aspecto físico que hace que se sienta poco atractiva e insegura, y esto hace que continúe aislándose del mundo, sin amistades con las que compartir momentos de alegría. A pesar de tener tres años batallando con la anorexia, Mariángel ha ido avanzando con determinación, y aun cuando ha tenido sus momentos de recaída, no pierde la esperanza de superar la enfermedad y volver a tener una vida normal, que es lo que más anhela.

Te tiendo mi mano

Así como ahora me encuentro ayudando a Mariángel a salir adelante, quiero hacerlo contigo también. Por eso, quiero decirte, a ti que me estás leyendo, que no vas a estar sola al enfrentar esta enfermedad y que te daré todo mi apoyo, con todo mi amor, para que puedas superarla, tal como lo hice yo. Quiero que tú y yo comencemos a trabajar juntas, seré tu guía y tomadas de la mano te iré dando las herramientas que te permitirán ir avanzando hacia la superación de esta terrible enfermedad. Quiero ayudarte a encontrar, como lo hice yo, el sentido de la vida, que no es más que el disfrute de experimentar lo maravilloso de la Creación, lo maravilloso de estar viva, el haber sido bendecida con el regalo de tener un cuerpo físico, con una mente y un corazón que te permiten experimentar toda la gloria del Creador.

El primer paso que te permitirá sanarte físicamente es comenzar a trabajar con tu ser interior, a sanarte internamente, a tomar consciencia de tu respiración, a tomar consciencia de tu aliento, que es el Soplo Divino, lo que te conecta con el Creador.

Por lo tanto, lo primero que hay que hacer es trabajar de adentro hacia afuera, ya que si por dentro tu ser está roto y tu autoestima e inseguridad están fracturadas, de nada te servirá ser hermosa físicamente. Por ello te invito a mirarte en el espejo y a decirte a ti misma: “Soy hermosa”; a que de verdad contemples tu hermosura, que la sientas en ti. Paulatinamente, esto te irá dando la fuerza y la confianza que necesitas para salir de la anorexia, así como para darte cuenta de lo hermosa que eres por dentro y por fuera.

Sé que no es fácil hacer lo que te estoy pidiendo. Sin embargo, recuerda que yo también sentí lo que tú sentías. Yo también era una mujer insegura. Yo también me miraba en el espejo y me sentía horrible. No quería salir a la calle porque la gente se burlaba de mí. Incluso me decían que tenía sida. A mí tampoco me gustaba mirarme en un espejo. Odiaba cómo me veía. Aunque de igual manera lo hice. Yo tomé la decisión de salir de mi enfermedad al verme en un espejo. Y cuando tú tomas la decisión de salir de esto, debes ir siempre hacia adelante, sin importarte nada.

Durante este proceso es muy importante que aprendas a controlar tus emociones, ya que como mencioné anteriormente, ellas pueden hacer que sigas atada a la anorexia. Una vez que te encuentras sumida en ese hoyo negro, las voces que te hablan se alimentan de esas emociones, de tu miedo, y es muy difícil salir de allí. Sin embargo, esas mismas emociones también pueden hacer que salgas de ese horrible hueco y de tu *zona de confort*.

Además del trabajo emocional, trabajar en tu seguridad y en tu autoestima es algo fundamental, pues si eres una mujer segura de ti misma, nada te podrá afectar, ni siquiera las emociones negativas ni las voces en tu cabeza que te torturan con la comida y con tu aspecto físico.

Si tú supieras lo hermosa que eres (por dentro y por fuera), tendrías el mundo a tus pies. Y ninguna enfermedad ni emoción podría afectarte en absoluto. Aunque de nada vale que yo te diga todo esto si tú no te lo crees. De nada vale que alguien te diga que eres bella si tú te aferras a pensar lo contrario. De nada vale que visites al psiquiatra o al psicólogo si no harás nada con las herramientas que te ofrecen, como sucedió en mi caso. Y no digo que su ayuda no funcione. Pero yo acudí a ellos y de nada me funcionó, porque yo seguía en la misma situación. No me sirvió de nada que la psiquiatra me dijera que hablara con mi mamá cuando me sintiera mal, porque yo seguía en el mismo círculo de la enfermedad. Yo necesitaba cortar y avanzar.

Y yo te acompañaré para que puedas hacerlo tú también, ya que si sigues caminando con ese pesado saco lleno de rocas que te impide avanzar con normalidad, será muy difícil que veas todas las valiosas cualidades que tienes, y que percibas la luz al final del túnel: la salida de la anorexia. Recuerda que Dios tiene un propósito para ti y tu alegría está en ir descubriéndolo. Así que suelta ese saco lleno de nada, porque eso es lo que es: solamente imaginación. Suelta la anorexia.

Algo que quiero compartir contigo es que haber pasado por esta enfermedad hizo que descubriera mi propósito de vida, el que Dios tenía diseñado para mí, y sin duda tiene que ver con el sueño que he tenido toda mi vida, que es escribir un libro. Después de haber sufrido de anorexia durante un año y medio, hoy en día sé que mi libro va a ayudar a muchas personas: mujeres y hombres. Descubrí que esta era mi misión de vida: lograr que muchas personas salgan de esta enfermedad. Dios puso ese propósito en mi corazón. Sin embargo, para poder cumplirlo tuve que sanarme primero. Y ahora, por medio de mi libro, quiero ayudarte a ti.

Además, hay algo que debes saber: para mí las casualidades no existen. Este libro llegó a tus manos por una razón: para sanarte emocional y físicamente, y que superes, así, la anorexia. Por ello es conveniente que sueltes ese pesado saco y sigas los pasos que te voy a indicar.

Lo primero que te puedo decir es que este es el momento perfecto para que salgas de tu enfermedad y de tu encierro emocional. Es el momento de comenzar a tomar consciencia de que tienes un maravilloso propósito, de que Dios te ama. Este es el momento de que abras los ojos y digas: "Yo tengo un propósito. Voy por él. Voy a descubrir mi propósito".

Lo segundo que te voy a pedir es que cuentes conmigo para lo que necesites. Yo estoy aquí. Soy tu amiga. Quiero que me tomes en cuenta. No estás sola en esto. Dios unió mi propósito al tuyo para algo maravilloso.

Así que toma un lápiz y papel, porque los necesitarás para realizar los ejercicios que te voy a dar a continuación.

Ejercicios prácticos para superar la anorexia

Antes de comenzar a realizar los ejercicios, te voy a pedir que los hagas todos los días y que confíes en ti, porque este trabajo depende de ti. Sé que vas a salir de esta enfermedad. Te lo aseguro. Y ahora te ofrezco las herramientas que yo utilicé para superar la anorexia sin ayuda de nadie, solamente de Dios.

Lo primero que vas a hacer es anotar los ejercicios que harás a partir de ahora:

1. El primer ejercicio es el Agradecimiento. Su mismo nombre lo indica: significa agradecer por todas las cosas que tienes o que te han sucedido. Al realizar este ejercicio no te centrarás en las cosas negativas, sino en las positivas, en lo que tienes, no en lo que no tienes.

¿Cómo harás el ejercicio?

Es muy sencillo. Cuando te levantes y antes de acostarte a dormir, no importa la hora que sea, agradece y habla con Dios. Alguna frase como "Dios, te doy gracias por este día" puede resultar muy poderosa. Así no encuentres ningún motivo por qué agradecer, de igual manera agradece, porque siempre hay algo por lo cual agradecer todos los días. Agradece por tu vida, por tu familia, por ser una mujer hermosa, por respirar, por estar viva, por tener un techo donde dormir, por tener comida en tu mesa, por tu personalidad, por darte Dios un nuevo día de vida, por todo. Adéntrate en tu interior y verás las cosas maravillosas que tienes para agradecer.

Después de agradecer a Dios, habla con Él, como si fuese tu amigo. Si te sientes triste, házselo saber y pídele que te ayude a no sentirte así. Deja tus problemas y cargas en sus manos, entrégale todo lo que sientes, todos tus sentimientos y emociones negativas para que Él las limpie y te devuelva emociones positivas y hermosas, como el amor, así como claridad para tu acción de pensar y obrar. Entrégale ese saco que te pesa y te impide avanzar. Pídele que te sane, que sane tu corazón, tus heridas y tu dolor. Pídele que te abra al Amor y que borre el rencor de tu interior. Pídele que te guíe, te acompañe y sea Luz en tu camino, para que encuentres la solución que necesitas para salir de la anorexia y de todos tus problemas.

Anota este ejercicio en una hoja y hazlo todos los días hasta que se convierta en un hábito, sin que dependas del papel. Estoy segura de que te ayudará tanto como a mí.

2. El segundo ejercicio es el de Reencontrarte contigo misma, buscarte, volverte a conocer, ver todo lo que tienes para dar al mundo y las cosas bellas que residen en tu interior.

¿Cómo harás el ejercicio?

Escribe en una hoja lo que tú eres, tus cualidades o virtudes, todo lo positivo de ti. No escribas nada negativo. Solamente lo positivo. Por ejemplo: "Yo soy una mujer hermosa, maravillosa, una mujer segura, una mujer firme, una mujer creyente en Dios, una mujer con autoridad, una mujer positiva, una mujer que se ama, se respeta, se valora, se quiere". Así creas que todo lo que estás escribiendo es mentira, escríbelo de igual manera, porque eso quedará grabado en tu subconsciente y llegará un momento en que de verdad creerás todas esas palabras y te darás cuenta de que eres todo eso que te repites diariamente.

Al escribir las cosas positivas de ti, comienza siempre con las palabras "Soy una mujer...". Guarda esta carta para ti misma encima de tu mesita de noche y léela todos los días por 21 días. Pasados esos 21 días, ya te la sabrás de memoria y ya no te hará falta el papel.

3. El tercer ejercicio se llama "La salida". Este ejercicio es el más difícil de todos. Quizás te cueste un poco más que los anteriores, tal como me sucedió a mí, pero juntas vamos a lograrlo, porque si yo pude, tú puedes.

Este ejercicio consiste en salir de tu zona de confort. Sí, sé que se escucha aterrador; sin embargo, es un ejercicio clave en este proceso de superar la enfermedad.

¿Cómo harás el ejercicio?

Todos los días, así no tengas ningún motivo para hacerlo, te arreglarás muy linda y te pondrás tu mejor perfume. Luego saldrás a la calle con tu mejor actitud y le sonreirás a una persona. No importa si te sientes fea o si crees que eres la mujer más fea del mundo. Para mí tú eres hermosísima.

Créeme cuando te digo que esto es lo más extraño y loco que tuve que hacer para salir de mi enfermedad, y lo logré. Yo también estaba encerrada; no quería salir con nadie, me escondía de todos y siempre estaba triste. Este ejercicio fue algo que Dios puso en mi corazón y fue fundamental para poder superar la anorexia. Un día me dije a mí misma que iba a sonreír y saldría a la calle. Al principio me dio miedo hacerlo, pero lo hice. Y fue lo mejor que me pasó en la vida. La experiencia fue maravillosa y enriquecedora. Me hizo crecer y me abrió muchas puertas, como la de conocer el *coaching*, herramienta que me llevó a descubrir mi propósito de vida. Así como sucedió conmigo, te prometo que este ejercicio te brindará muchas oportunidades y lograrás cosas que jamás imaginaste. Sin embargo, para que eso ocurra, solo necesitas abrir tu corazón y así liberar tu ser interior. Ábrete al mundo.

Como mencioné anteriormente, quizás te va a costar hacerlo al principio, tal vez te va a dar miedo, sin embargo, después será lo más hermoso de tu vida. Te sorprenderás de las cosas maravillosas que van a sucederte.

Una vez que llegues a tu casa después de realizar el ejercicio, escribirás en un papel cómo te fue ese día y cómo te sentiste con la experiencia. Si te fue bien, lo anotas. Si te fue mal, anota las observaciones para que te vaya mejor los días siguientes y así puedas ir evaluando tu progreso. Algunas preguntas que pueden ayudarte con esta tarea son: ¿Cómo me fue hoy? ¿Cómo me sentí hoy? ¿Experimenté algo agradable el día de hoy? ¿Qué cambios puedo hacer para mejorar? Así te vaya bien, hazte todas las preguntas, porque siempre hay cosas que mejorar, todos los días.

No te daré falsas expectativas ni te diré que a partir de ahora todo será maravilloso. En este proceso habrá días hermosos en los que te sentirás feliz y entusiasmada. Por otra parte, también habrá días sombríos en los que prevalecerá la tristeza y sentirás que nada vale la pena. No obstante, es ahí, en ese momento, cuando te levantarás con ímpetu y fijarás en tu mente los momentos de mayor alegría que hayas vivido. Entonces le orarás a Dios como nunca para que te ayude y te dé la fuerza para seguir. Porque la realidad es que sí vale la pena vivir. Mira hacia el cielo y observa su inmensidad; así, aunque te sientas insignificante, toma consciencia de que tú también formas parte de esa Creación. Así que confía en Dios y encomiéndate a Él. Confía en ti misma, en el potencial que tienes, en lo que vales como persona, como mujer. De esta manera, cuando sientas que te vas a desmayar, que vas a caer otra vez, ahí va a estar Dios para sostenerte.

A partir de este momento tu vida va a cambiar. A partir de este momento eres otra mujer: una que está en proceso de renovarse, de crecer, de sanarse, de sacar lo mejor de ella misma, de tener confianza y seguridad. Por ello, no veas para atrás bajo ninguna circunstancia, ni bajes la cabeza. Solo sigue hacia adelante.

Te aseguro que cuando tú de verdad te des cuenta del valor que tienes y del propósito que Dios tiene en tu vida, dirás: "¿Perdí todo este tiempo para nada?". Porque es un tiempo perdido, pues ya la enfermedad te enseñó, ya pasaste por esa amarga experiencia. Ahora tienes un mundo por delante, uno que se abre ante ti con maravillosos colores, y eres una mujer hermosa, valiosa, maravillosa que logrará todo lo que quiera en su vida cuando se dé cuenta del poder que tiene en su interior.

Por ello, cultiva el amor hacia ti misma, así como el amor que sientes por tus seres queridos y el que ellos sienten por ti. No te alejes de ellos ni hagas que se alejen de ti. Acuérdate de que hay muchas personas a tu alrededor que te quieren y te aprecian tanto que no desean verte mal. Incluso hay algunas que lo pensarían para dar su vida por ti, como sucedió con Mariángel y su padre. Cuando ella estuvo hospitalizada, su padre le dijo que lo normal era que los padres murieran primero que los hijos, y que él no se imaginaba una vida sin ella. También le manifestó que preferiría mil veces entregarle su vida a Dios que verla partir. A los pocos meses de decirle eso, cuando Mariángel se estaba recuperando, él falleció de un paro cardíaco. Ante esa dolorosa experiencia, Mariángel dice que su padre dio su vida por ella.

Descubrir tu propósito de vida: salir de tu zona de confort Una de las razones para que salgas a la calle es para que descubras tu propósito y te abras al mundo. Recuerda que tienes una misión

en esta vida, un propósito maravilloso. Está en ti descubrirlo. No lo vas a descubrir encerrada en tu casa, sin salir porque te da pena. Tienes que descubrirlo afuera, en el mundo, en la calle. Y, obviamente, por medio de la oración, Dios te va a dar dirección y sabiduría para guiarte a tu propósito. Sin embargo, encerrada en tu casa no lo vas a lograr. Tú tienes un potencial que necesita ser visto por todos, pero está escondido en tu casa, encerrado.

Entonces, ¿cómo vas a descubrir tu propósito escondida en cuatro paredes? No puedes hacerlo.

Por eso es muy conveniente que todos los días realices los ejercicios que te indiqué con anterioridad. Ellos son realmente poderosos porque comenzarás a trabajar la mente y a hacer cosas que te sacarán de tu zona de *confort*. Un ejemplo claro de esto es mi caso. A mí me costaba salir a la calle y lo tuve que hacer así no quisiera. Estoy segura de que eso también te está sucediendo a ti. No quieres salir porque piensas que las personas se te quedarán mirando y se burlarán de ti. Sin embargo, todo depende de tu actitud, de tu determinación, de que des ese primer paso (el más difícil) y salgas a la calle con una gran y espectacular sonrisa, que saludes a las personas que veas al caminar. Eso es algo que no quieres hacer. Pero, cuando des ese paso, tu vida cambiará por completo. Te lo aseguro. Y cuando te des cuenta del potencial que tienes, lograrás cosas que jamás imaginaste.

Ejercicios para identificar los siete factores de riesgo

Además de los ejercicios anteriores, a continuación te ofrezco otros que te permitirán interiorizar y reflexionar sobre la persona que eres. Estos ejercicios se denominan "Ejercicios para los siete factores de riesgo". Debes realizar cada uno de manera ordenada y luego pasar al siguiente hasta completar los siete. Al terminar este viaje serás una persona distinta a la que eras cuando lo comenzaste, pues el cambio que experimentarás será inmediato, desde el primer ejercicio. Cuando termines el último ejercicio serás una nueva persona, ya que habrás viajado a tu interior, explorándolo en busca de respuestas para renacer en una versión mejorada.

Cabe destacar que este viaje toma tiempo y se necesita mucha paciencia y voluntad para terminarlo. Por eso, puede que a la mitad de los ejercicios te frustres y descubras cosas que no te agraden de ti mismo. Descuida, es normal. Puedes tomar un pequeño descanso y luego retomar el viaje. A veces cuando caminamos mucho, debemos detenernos y descansar un poco para recargar energías y así, luego, podamos avanzar más cómodamente.

Está permitido llorar o enojarte. Eres libre de hacerlo. Pero recuerda enfocarte en tu objetivo y en la meta. Acuérdate de que si cargas un bolso muy pesado en tu espalda, esta te dolerá y te impedirá caminar con tranquilidad. Por ello debes soltarlo y vaciarlo de cosas que ya no te sean ***útiles para que so***lo tengas las que necesites y te hagan falta en el viaje. Así caminarás más liviano y avanzarás más rápido hacia tu meta.

1. Ejercicio de autoestima: El espejo

El ejercicio del espejo es una herramienta terapéutica que consiste en la reflexión y la meditación interna para así poder conocernos realmente y crear un concepto sano de nosotros mismos.

Explicación del ejercicio

- Elige un momento del día en el que tengas privacidad y ponte frente a un espejo.
- Mírate con atención en silencio. Obsérvate detalladamente. Conecta con tu mirada para verte de forma sincera, libre de máscaras. Silencia todo el ruido mental.
- Realiza tres o cuatro respiraciones profundas.

Hazte las siguientes preguntas:

1. ¿Qué ves en el espejo?
2. ¿Cómo es la persona que te mira desde el espejo?
3. ¿La conoces?
4. ¿Qué cosas buenas tiene esa persona?
5. ¿Qué cosas malas tiene esa persona?
6. ¿Qué es lo que más te gusta de esa persona?
7. ¿Cambiarías algo de la persona del espejo?

Puedes escribir las respuestas en un cuaderno y repetir el ejercicio por veintiún días para que aumentes la conexión contigo mismo.

2. Ejercicio"Necesidad de aceptación"

Este es un ejercicio de autoconocimiento profundo. Para realizarlo necesitarás un cuaderno y un bolígrafo, pues tendrás que completar las frases escritas a continuación:

- Primera frase: Para mí no es fácil admitir que________________
- Segunda frase: No puedo creer que en el pasado yo________________
- Tercera frase: Los otros pueden tener razón cuando________________
- Cuarta frase: No me es fácil aceptarme cuando yo________________
- Quinta frase: Una de mis emociones que no me gusta aceptar es________________
- Sexta frase: Una de mis acciones que no me gusta aceptar es________________
- Séptima frase: Uno de mis pensamientos que no me gusta aceptar es________________
- Octava frase: Una de las partes de mi cuerpo que no me gusta aceptar es________________
- Novena frase: Si yo aceptara más mi cuerpo________________
- Decima frase: Si yo aceptara más las cosas que he hecho________________
- Oncena frase: Si yo aceptara más mis sentimientos________________
- Duodécima frase: Si yo aceptara mis deseos y necesidades de forma honesta________________
- Decimotercera frase: Lo que más me asusta de aceptarme es________________

3. Ejercicio de autoexigencia:

Este es un ejercicio que permite la reflexión sobre la autoexigencia y sobre cómo ponerle límites.

¿Cómo hacer el ejercicio?

- Siéntate en un lugar tranquilo, en lo posible silencioso, donde puedas disponer de unos momentos de intimidad.
- Comienza a tomar conciencia de tu cuerpo y respira profundamente, apagando tu mente por un momento y dejándote llevar por el ir y venir de tu respiración mientras vas aflojando tensiones innecesarias.
- Cuando te encuentres en un estado de tranquilidad, intenta pensar en algo que te dices o te decías a ti mismo cuando tenías anorexia, pero con la influencia de una autoexigencia severa: "Hoy tengo que lograr esto"; "Tengo que cambiar este hábito"; u otras afirmaciones de este estilo.

En realidad, no solo son importantes las palabras que utilizas, sino el tono y la forma en que las pronuncias. Imagina que estás diciéndolas con tu voz y reconoce el efecto que produce esa crítica mordaz interna en tu cuerpo, en tu ánimo y en tu mente.

Quédate un momento con esa sensación, la cual seguramente no será muy agradable.

- Ahora piensa en esa misma situación, pero modifica las palabras, usando unas que sean más suaves, tolerantes y amables. Como, por ejemplo: "Sería conveniente que intentara lograr esto"; o "Me gustaría trabajar para empezar a modificar esta parte de mí".

¿Ves la diferencia? El lenguaje es más neutral y menos crítico. ¡Y la voz tiene un tono distinto! Ahora siente esas palabras y esa voz, una voz nueva, más cálida e íntima, una que es como un bálsamo que cura las heridas que causa de la otra voz, la intolerante y crítica. Esta voz, por el contrario, acaricia, protege, contiene, acepta. Por ello, repítete las palabras con dulzura y afecto. Quédate un momento sintiendo el efecto reparador de esta voz. ¿No es magnífico?

- Para terminar, agradece el tiempo que te has tomado en hacer este ejercicio y repítelo varias veces.

4. Ejercicio de hipersensibilidad a la crítica

El objetivo de este ejercicio es lograr una reflexión interna sobre la hipersensibilidad, sus causas, consecuencias y posibilidades de eliminarla. Necesitarás lápiz y papel para anotar tus respuestas.

Preguntas poderosas para cambiar la hipersensibilidad a la crítica:

- ¿Te importa demasiado lo que piensan de ti?
- ¿Te da miedo decepcionar a otros?
- ¿Te impones demasiada presión?
- ¿Estás dispuesto a cambiar tu diálogo interior?
- ¿Tienes claridad de lo que quieres?
- ¿Eres capaz de seguir tu intuición?
- ¿Estás dispuesto a hacer respetar lo que vales?
- ¿Tienes miedo a equivocarte?
- ¿Te gustaría vivir en la abundancia?
- ¿Te sientes bien con tu imagen exterior?
- ¿Te sientes bien con tu estado de salud actual?
- ¿Estarías dispuesto a cambiar tu estado de salud actual?
- ¿Cuál sería tu primer paso para dar ese cambio?
- ¿Qué te gustaría cambiar más?

Te propongo un ejercicio que debes hacer por un mes:

- Toma un cuaderno y un lápiz y escribe diariamente dos listas: una de todas las cosas a las que les tienes miedo, y otra de todas las críticas que has recibido o que temes recibir.

5. Ejercicio de autocontrol

Este ejercicio tiene el objetivo de hacerte tomar la vida con responsabilidad, de convertirte en el gestor de tu propia vida para saber qué puedes hacer, cuándo y cómo hacerlo.

¿Cómo hacer el ejercicio?

- Piensa en una persona que tú sientas que tenía (o tiene) poder negativo sobre ti cuando sufrías de anorexia. Revive mentalmente el comportamiento que ella te provocaba hacer y que quieres eliminar de ti.
- Observa las imágenes que vienen a tu mente cuando piensas en esa persona o situación, y anota las sensaciones que te producen.
- Escucha tu voz interior. ¿Qué te dice? Anótalo.

6. Ejercicio de resiliencia

Haz una lista de diez cualidades o características de tu personalidad que te pueden ayudar a prevenir o enfrentar la anorexia.

7. Ejercicio de capacidad de toma de decisiones

Toma papel y lápiz y dibuja un cuadro con cuatro casillas. Luego escribe en ellas lo siguiente:

1ª casilla:	**2ª casilla:**
Lo que sí quiero y sí tengo.	Lo que sí quiero y no tengo.

3ª casilla:	4ª casilla:
Lo que no quiero y sí tengo.	Lo que no quiero y no tengo.

A continuación, responde las siguientes preguntas:

1. ¿Qué casilla te ha costado más responder?
2. ¿Cuál ha sido más fácil?
3. ¿Son todos los contenidos del mismo valor?
4. ¿Hay alguno más relevante para tu vida?
   ¿En qué casilla está?
5. ¿Has descubierto algo que te llama la atención?
   ¿Algo que no sabías?
6. ¿Qué has aprendido sobre ti mismo al hacer el ejercicio?

El arte del perdón

El rencor es una emoción que puede dañarnos tanto mental como emocional y hasta físicamente. Guardarle rencor a alguien es comenzar a morir por dentro, mancharnos, dejar que nuestro corazón se tiña de negro. Significa enfermarnos. Sí, las enfermedades a veces van unidas al rencor y al resentimiento, a no perdonar algo que nos hicieron en el pasado y que se quedó allí, muy adentro de nosotros, clavándonos espinas, hiriéndonos profundamente día a día.

Por ello, es muy importante que no le guardes rencor a nadie, que comiences a sanar tu corazón, a sanar a las personas que te hirieron en el pasado, las situaciones o experiencias que te hicieron daño, así como, lo más importante, a sanarte y perdonarte a ti. Porque cuando tú perdonas y te sanas a ti misma, te sientes libre, sin peso, sin ataduras de ningún tipo, sin nada malo. Y puedes avanzar sin ningún problema, ya que sueltas todo lo que te impide seguir adelante.

Yo tuve que perdonar mucho y sanar mi corazón, pues tenía profundas heridas: unas eran más grandes que otras, pero todas sangraban. Así que me encomendé a Dios y se las entregué mientras yo me encontraba en mi proceso de sanar el rencor que sentía por mi expareja, por mis padres, por todas las situaciones que me marcaron de forma negativa e hicieron que cayera en la anorexia.

Incluso tuve que perdonar a mi mamá, que es lo más valioso que tiene una persona. Ella, sin saberlo, contribuyó a que yo tuviera la enfermedad, ya que mi casa se volvió un lugar lúgubre e infausto cuando ella tomó la decisión de divorciarse de mi papá. Las peleas entre ellos se volvieron cada vez más recurrentes y yo no sabía qué hacer ni con quién desahogarme. En ese momento me sentía muy sola, abandonada y desprotegida.

Además de eso, mi mamá siempre me hablaba de forma negativa de mi papá y me repetía una y otra vez que se divorciaría de él. Aparte de volverme loca con ese tema, lo que más me dañaba era su relación conmigo, pues esta se basaba en reclamos, quejas. Y eso había sido así desde que yo era tan solo una pequeña. Ella me regañaba y me pegaba por todo. Para ella yo siempre fui la mala, la grosera, la peleona. Me culpaba por cualquier cosa y eso me afectaba demasiado.

De esta manera, crecí con ese resentimiento hacia mi madre, pero nunca se lo hice saber; siempre me lo guardé para mí. El amor y el cariño que siempre le demostré tapaban esos vacíos y heridas emocionales. Sin embargo, ellas siguieron allí durante años y años, mientras el resentimiento y el dolor por su rechazo hacia mí crecían hasta más no poder. Entonces, cuando mis padres decidieron divorciarse, los problemas entre mi mamá y yo se intensificaron y todo empeoró. La tristeza comenzó a acompañarme día tras día, y la anorexia me tendió su mano disfrazada de una hermosa princesa que desaparecería todos mis problemas a cambio de no comer y ser delgada. A partir de allí, mi refugio fue mi habitación, la (no) comida y el ejercicio. Sin embargo, el dolor interno seguía allí.

Gracias a Dios, pude sanar perdonando a mi mamá. Y hoy tenemos una relación hermosa. Hallarme sumergida en la enfermedad hizo que me diera cuenta de que tenía que hacer las paccs con ella para poder estar bien y en paz conmigo misma. Jamás me percaté de que las hirientes palabras que ella me decía crecían en mi interior como una bola que un día estallaría. Yo me tragaba todas sus palabras y todo mi dolor en vez de expresarle mis sentimientos y pensamientos, siendo ignorante de lo que eso podría acarrear en un futuro no tan lejano.

Anorexia: Rechazo a la madre

Impactante, ¿no? La anorexia, más allá de ser un trastorno alimenticio y mental, significa "rechazo a la madre", tal como menciona Enric Corbera en su libro *Bioneuroemoción*. En otras palabras, el rechazo a la madre significa rechazo a la comida.

Las personas creen que la anorexia se trata de un trastorno alimenticio. Sin embargo, no es así. Va más allá de eso. Es un trastorno que está unido a emociones y conductas negativas que no hemos superado y que (consciente o inconscientemente) involucran a nuestra madre. La anorexia, el rechazo a la madre, es un sentimiento que se puede convertir en odio. Es el miedo extremo de abrirnos a la vida. Viene de un sentimiento profundo e insatisfecho de amor y afecto.

Y esto pude comprobarlo cuando conversé con Yuliana y Mariángel. Cuando los padres de Yuliana se estaban divorciando, ella cayó en la anorexia nerviosa. Sin embargo, a causa de la enfermedad, también era maltratada por su madre, quien jamás se preocupó por ella ni por su grave estado de salud, sino más bien la reprendía y le decía que todo aquello era "un *show*" de ella, una manipulación y una forma de llamar la atención y de hacerse la víctima. Incluso llegó a golpearla en una ocasión. Debido a todos esos problemas, Yuliana no podía comer. Al tratar de hacerlo le daban ataques de tos y terminaba vomitando. Sin embargo, tiempo después, una vez curada, ella perdonó a su mamá y pudo dejar ese episodio atrás, aunque le quedaron secuelas de la enfermedad.

Por otra parte, al conversar con Mariángel, ella me dijo que durante la etapa más oscura de su enfermedad sentía un profundo rechazo hacia su madre. También, al principio, cuando su exnovio la maltrataba, ella se quedaba callada y no hablaba con su mamá. Tiempo después pudo abrirse con ella y contarle todo lo que le había sucedido, pero el rechazo y la intolerancia seguían allí. Sin embargo, Mariángel también se sentía mal por tener esos sentimientos hacia su madre.

Por esta razón te invito a tomar consciencia de la relación que tienes con tu madre. ¿Se llevan bien? ¿Hablan todos los días? ¿Sobre qué temas hablan? ¿Sabe de tu enfermedad y de tus problemas? ¿Cómo reacciona ante ellos? ¿Te acompaña al médico y al psicólogo? ¿Te ha tendido su mano para ayudarte a salir de la anorexia? ¿Es cariñosa contigo?

Recuerda que lo más importante que tienes en la vida es tu madre. Cuéntale tus problemas, habla con ella sobre las cosas que te gustan y las que te angustian. Y si la relación entre ustedes no es muy buena, este es el momento perfecto para arreglar eso y cultivar una relación sana, llena de amor, cariño, confianza y respeto.

Ningún hombre vale tu hundimiento

Como mencioné con anterioridad, la anorexia está vinculada a emociones negativas que nos marcan, a traumas que hemos vivido y permanecen allí, en lo más hondo de nuestro subconsciente, escondidos. Muchos de esos traumas emocionales se originan por la noticia de que nuestros padres se van a separar, por una relación de pareja que puede llegar a ser agresiva, por la pérdida de algún familiar. Muchas veces no somos conscientes de que la enfermedad ha llegado a nuestra vida, porque a veces no se trata de que no queremos comer porque queremos ser delgadas. En algunos casos va más allá: no queremos o, incluso, no podemos comer (tal como le sucedió a Yuliana) porque la situación emocional que estamos viviendo es tan fuerte que no sabemos cómo controlarla y nuestro estómago se resiente ante eso y se niega a recibir comida.

Cuando eso sucede, ya estamos en la enfermedad. Lo más triste de todo es que nos olvidamos de nosotras mismas para centrarnos en el problema o en la persona que tanto daño nos hace, y nos quedamos allí, estancadas, sin saber cómo salir. En el caso de una relación tóxica, nuestra pareja piensa que tiene el control sobre nosotras y que puede manejarnos a su antojo. Entonces, poco a poco nos convertimos en títeres y sentimos que no tenemos derecho ni potestad para reaccionar ni defendernos ante su maltrato. De esta manera, se crea una relación de dependencia, y esa persona puede llegar a bajarnos la autoestima y a hacer que nuestra seguridad en nosotras mismas desaparezca. Y así, poco a poco comenzamos a creer que no valemos nada como mujeres y que nos merecemos todo lo malo que ella nos hace.

Y aquí es donde quiero detenerme para decirte algo: ningún hombre es lo suficientemente importante y valioso como para que tú caigas en una relación enfermiza y tóxica. Ninguno. Recuerda que tú eres hermosa, maravillosa y valiosa. Así que cultiva el amor hacia ti misma, así como la autoestima y la seguridad. De esta forma, nadie podrá lastimarte jamás. Caminando de la mano de Dios, nadie podrá hacerte daño nunca.

Él puede ayudarte a ver todas tus cualidades y fortalezas, a darte seguridad y fuerza para afrontar todas las situaciones que se te presenten en tu camino. Solamente debes pedírselo. Recuerda que lo más importante para ti eres tú misma, y que ningún hombre puede lastimarte, mucho menos marcarte de por vida ni hacer que caigas en esta enfermedad.

En mi caso, yo no fui maltratada por mi exnovio. Sin embargo, de un día para otro él me dejó sin darme ningún tipo de explicación. Solamente se desapareció, más nunca supe de él. Y eso a mí me afectó muchísimo, porque incluso estábamos comprometidos, nos íbamos a casar. Después, debido a las emociones y el dolor que me produjo esa ruptura y a las peleas entre mis padres, caí en la anorexia. Sin embargo, cuando decidí sanarme y salir de la enfermedad, yo siempre le pedí a Dios que me ayudara a sanar mi corazón y a abrirme al amor.

Y de verdad funcionó, ya que a pesar de haber quedado marcada por el abandono de mi exnovio, pude sanar esa situación, perdonarlo y salir adelante. Hoy en día estoy muy feliz con César, el hombre de mi vida. Si no hubiese pasado por esa experiencia tan dolorosa, por esa ruptura, no hubiese conocido a César, y tal vez hoy seguiría encerrada en el mismo ciclo. Por eso es que dicen que "todo sucede por algo y que nada es casualidad". Dios conoce sus obras y sus tiempos, y sabe cómo obrar con nosotros y a dónde guiarnos, aunque nosotros no lo entendamos en ese momento. Pero recuerda que todo lo que te sucede en esta vida tiene un propósito, un aprendizaje, un crecimiento. Nada es casualidad.

Recuerdo que conversando con Mariángel ella me dijo que su relación con su exnovio la había marcado. También, me confesó que en ese preciso momento tenía miedo y no se sentía preparada para tener una relación debido al trauma que había vivido. Sin embargo, me habló de un muchacho que conoció y que quiere ayudarla a terminar de salir de la anorexia. Aunque ahora vive en Perú, siempre está pendiente de ella y le tiende su mano al comprarle los medicamentos que necesita y al acompañarla en todo su proceso de sanación.

Siempre le pregunta si comió, si se tomó las medicinas o si se siente bien. Aunque sea en la distancia, la acompaña en todo momento para que no se sienta sola, y eso la motiva, pues siente que alguien se preocupa por ella.

Mariángel comenzó a tenerle mucho cariño. Se siente agradecida por la atención y el afecto que ha tenido hacia ella. Sin embargo, le pidió tiempo, ya que aún no se encuentra bien y no lo quiere arrastrar a su problema y lucha interna, pues, en palabras de ella, sería algo muy egoísta. Él le respondió que sabe por lo que está pasando y que la esperará el tiempo que sea necesario, ya que desea que sea la madre de sus hijos.

Y es que cuando tomas la decisión de salir de la anorexia, de hablar para pedir ayuda o contar tus problemas y drenar esas emociones que tanto daño te hacen, comienzas a sanar y a liberarte de esas ataduras. Entonces se abren oportunidades ante ti: aparecen personas o situaciones que te ayudan a salir de ese hueco y te impulsan a lograr tus sueños y metas. Y eso es algo maravilloso, debido a que llega la motivación y el sentimiento de que no estás sola, de que hay muchas personas que te quieren y te apoyan en todo.

Exactamente así me sucedió cuando conocí a César. Sin embargo, si no hubiese tomado la decisión de salir de esto, no lo hubiera conocido ni se me hubiesen presentado las oportunidades que hoy, gracias a Dios, me han fortalecido y me han hecho vivir experiencias hermosas y maravillosas. Porque realmente el cambio comienza en ti. Cuando sueltas, te liberas.

Seguridad

Cuando Mariángel me comentó que llegó a pesar solo 17 kilos no lo podía creer, pues yo llegué a pesar 32 kilos y sentía que la muerte estaba cada vez más cerca. Sin embargo, ella y yo experimentamos los mismos síntomas: falta de energía, caída del cabello, ausencia de la menstruación, debilidad corporal y mental. Ella me cuenta que no podía caminar dos pasos sin sentirse acelerada o descompensada. Yo sentía hormigueos en todo el cuerpo, así como una sensación de desmayo. También se me estaba cayendo el cabello y la menstruación dejó de venirme por un año. Incluso quedé irregular después de la enfermedad.

A propósito de esto, ocurrió algo asombroso, ya que a pesar de que la ginecóloga me dijo que me iba a costar mucho tener hijos por lo que sufrió mi cuerpo durante todo ese tiempo, hoy estoy con mis dos hijas. Cabe destacar que yo siempre había querido tener hijos y formar una familia, pero nunca hice ningún tratamiento para tener a mis dos princesas. Ellas llegaron porque Dios me las envió. Yo no las busqué.

Aquí quiero hacer hincapié en este milagro y decirte que la oración es lo más poderoso que existe. Nosotros siempre decimos: "Yo creo en Dios", "Dios es lo más bello". ¿Pero realmente te has preguntado de corazón "Yo creo en Dios, yo lo siento, yo tengo una conexión con Él"? Cuando comienzas a tener una conexión con Dios, es lo más hermoso que va a sucederte en la vida. Porque Él te da la seguridad para seguir adelante. Él te levanta cuando no puedes más. Con una suave y dulce voz te susurra al oído: "Levántate y sigue. Yo te ayudo".

Conseguir esa seguridad en ti misma te da la certeza de que nadie podrá hacerte daño. Así, no dependerás de nadie para lograr tus metas y ser feliz. Por otra parte, por medio de la oración obtendrás la fuerza, la capacidad de levantarte para seguir y no sentirte débil. Asimismo, podrás tomar consciencia de lo que vales como ser humano.

Más allá del espejo

La razón por la que mi libro se llama *Más allá del espejo*, es porque para mí el espejo fue una pieza clave para yo salir de mi enfermedad, pues cuando tomé la decisión de superar la anorexia lo hice frente a un espejo, viéndome en él. Yo me quité toda la ropa y observé cómo los huesos se salían de mi cuerpo, de mi piel. Luego me quedé congelada debido al *shock* que me produjo ver a la verdadera yo, a la enferma. Recuerdo haberme arrojado al piso a llorar. No entendía por qué lo hacía. Solamente lloraba y lloraba sin parar. Y en mi desespero le pedía a Dios que me ayudase a salir de ese infierno, a conseguir una solución. Entonces, fue en ese momento cuando yo lo sentí. Una calidez me envolvió por completo. Él estaba en mi corazón. Me dijo: "Levántate. Yo te voy a ayudar. Pero necesito que te levantes. No estás sola".

Es Más allá del espejo, porque la anorexia va más allá de un cuerpo delgado. Va más allá de mirarte al espejo y verte gorda. Va más allá de no querer salir porque te sientes fea. Es algo que tu cuerpo y mente evaden pero que tu ser siente. Es algo doloroso, punzante, emocional que se quedó atascado allí. No es una chica hermosa y delgada. Es un alma desnutrida que sufre y pide a gritos ayuda. Es una sensación desagradable de no poderte vestir bien porque sientes que toda la ropa te queda mal o no te queda. Es la vergüenza de que las pantaletas se te caigan, de salir a la calle y mostrarte ante todos, de sentirte desnuda ante el mundo que te juzga, de no probar bocado porque la culpa te carcome.

La anorexia, más que una enfermedad física, es un clamor de amor y de cariño. También es una lucha interna, emocional, espiritual, una guerra que se gesta en tu interior y no sabes cómo detener. Eres tú misma luchando contra ti.

Todo llega en su momento

En este proceso es normal que te sientas desesperada, ya que lo único que deseas es salir de la enfermedad lo más pronto posible. Sin embargo, este es un proceso que lleva su tiempo. Sé paciente. No superarás la anorexia de la noche a la mañana. No puedes forzarlo, porque entonces terminarás estrellándote contra una pared.

Y es que Dios obra en su tiempo. Cuando estamos apurados por lograr algo, o queremos algo inmediatamente, Dios nos dice que esperemos, que no es el momento de que suceda eso que tanto deseamos, porque no es cuando tú quieres, es cuando Dios quiere. Es en su tiempo, no en el tuyo, porque el tiempo de Dios es perfecto.

Y así sucedió conmigo, así sucedió con Mariángel y así está sucediendo contigo. Seguramente a veces piensas que Dios te abandonó, que se olvidó de ti y te dejó al abandono con la anorexia. Pero no es así. Él siempre está pendiente de ti y está allí, caminando contigo hacia tu sanación y crecimiento personal.

Cuando Mariángel le pidió a Dios que la ayudara a salir de su enfermedad, le dijo que necesitaba obtener respuestas porque tenía muchas preguntas que no sabía cómo responder. Ella le pidió luz, alguna salida o señal para saber qué hacer con todo lo que le estaba sucediendo en su vida. Una semana después nos conocimos a través de Instagram. Eso para ella fue el milagro y la respuesta que tanto necesitaba. Y fue maravilloso.

Yo me encontraba en el proceso de buscar a alguna mujer que todavía estuviese luchando con la enfermedad y así poder ayudarla a través de Dios. Así que coloqué un mensaje en mi cuenta personal de Instagram y recibí muchos escritos de chicas que contaban su experiencia con la enfermedad. Muchos me marcaron. Sin embargo, cuando leí el de Mariángel, quedé tan impactada que hasta le tomé una foto a la conversación y me dije que le tenía que responder. Entonces le pedí su número y comenzamos a hablar.

Y es que el tiempo de Dios es perfecto. Yo no la busqué y ella tampoco a mí. Dios nos unió con un propósito: ayudarla a sanar interna y externamente. Y ella, a través de mí, encontró las respuestas que tanto necesitaba. Dios se las dio a través de mi testimonio. Ahora ella es parte de este libro, mi tercer hijo.

Las respuestas que buscas están dentro de ti

Quiero recomendarte que conozcas e investigues acerca del *coaching*, porque de verdad puede ayudarte. En este libro yo soy tu *coach* personal, y en él te he dado las herramientas poderosas que yo usé para salir de la enfermedad. Estoy segura de que te ayudarán a ti, porque realmente sí ayudan. Sin embargo, te invito a ahondar más allá, pues es muy probable que te lleves algunas sorpresas con este instrumento.

Tal vez te parezca extraño lo que te diré a continuación, pero tú tienes la respuesta a lo que estás buscando. Sé que en este momento te estás haciendo muchas preguntas y crees que no tienes la respuesta o no la sabes. Pero sí la sabes. Solamente debes hacerte la pregunta correcta, pues más importante es la pregunta que se hace que la respuesta. Eso lo aprendí en el *coaching*.

Por ello, te invito a adentrarte en ti para descubrir la pregunta correcta, la acertada, la que hará que encuentres la respuesta que tanto has buscando pero que siempre ha estado allí, escondida. Así, tus dudas serán aclaradas y te quitarás un peso de encima, ya que obtener respuestas te dará la claridad y libertad que tanto necesitas.

Diez sesiones

Al hablar con Mariángel, además de decirle que quería ayudarla a trabajar la seguridad en ella misma, así como ayudarla con el tratamiento de sus dientes, le comenté que le iba a regalar diez sesiones de *coaching* para que ella termine de salir de la anorexia. Sé que diez sesiones son suficientes para ayudarla. Al finalizarlas, estoy segura de que será la mujer que siempre ha deseado ser. Sin embargo, ella no lo podía creer. Lloraba y me decía que nadie la había ayudado en la lucha contra la enfermedad, y que yo era un ángel terrenal que Dios había puesto en su camino para salvarla.

Y tal como le respondí a ella, te responderé a ti: lo único que necesito es que te comprometas con este proceso, que te comprometas contigo misma, que confíes y tengas la seguridad de que vas a salir de la enfermedad (aunque tú no lo creas posible), de que vas a salir adelante, de que vas a lograr todo lo que quieres en la vida. También necesito que te comprometas conmigo, para que juntas hagamos este trabajo. Pero que, sobre todo, te tengas a ti misma, porque tu sanación y superación personal dependen de ti, de nadie más.

Lo más valioso para ti eres tú misma, y aunque no lo veas así en este momento, eres una mujer hermosísima. No hacc falta vertc para saber que tienes un corazón bello. Mira el cielo nocturno, verás cientos de estrellas en esa inmensidad. Asimismo, tú eres el reflejo de una de esas estrellas aquí en la Tierra, y ese es el milagro de la Creación. Dios te dio la vida para que puedas apreciar toda su belleza y esplendor.

Tienes un gran valor como ser humano, como mujer. Posees una gran fuerza interior que quiere despertar y voy a ayudarte a hacerlo. No vas a estar sola en esto.

Bendigo tu vida y te quiero. Ánimo, que juntas vamos a lograr- lo. Vas a salir de esto.

CAPÍTULO **8**

EL FINAL DEL VIAJE

el comienzo de todo

Solo nosotros podemos salir de la enfermedad. Si no nos ayudamos nosotros mismos, nadie más lo hará.

Rosangélica Barroeta

Dicen que todo pasa por algo y que no hay mal que por bien no venga. Hoy tengo la absoluta certeza de que es así, y que Dios pone pruebas y obstáculos en nuestro camino para que podamos superarlos y volvernos mejores personas con nosotros mismos y con el medio que nos rodea. Además de eso, en el camino podemos encontrarnos con herramientas de las que podemos aprender mucho y ayudar así a quienes más lo necesitan. La que yo descubrí en el camino de mi lucha contra la anorexia fue el *coaching*, y gracias a él hoy puedo ayudar a personas que están pasando por esta enfermedad.

Muchas veces creemos que tenemos toda nuestra vida planeada y que siempre vamos a seguir un mismo camino. Pero nada está más alejado de la realidad. A veces estamos caminando y de repente aparece un obstáculo, un temblor que altera todo a nuestro alrededor, rompiendo el camino que transitábamos. Entonces, adoloridos y confundidos, nos levantamos para emprender de nuevo nuestro viaje. Pero la ruta está destruida. Con valentía decidimos indagar más allá para encontrar una nueva vía que nos encamine hacia nuestra meta.

Luego de una incansable búsqueda aparece otro camino, pero no nos conduce a nuestra meta, sino rompe todos nuestros paradigmas y nos lleva a través de senderos inhóspitos, ocultos, a lugares inesperados que jamás imaginamos, y cambia el rumbo de nuestra vida por completo. Nos reta a escalar montañas y a salirnos de nuestra zona de *confort*, a enfrentarnos con nosotros mismos, a descubrir quiénes somos y qué queremos realmente. Ahora queremos cumplir otra meta distinta a la que teníamos originalmente. Hemos cambiado. Hemos crecido en este viaje de autodescubrimiento.

Cabe destacar que estos cambios la mayoría de las veces son bruscos y llegan sin previo aviso. No siempre son fáciles; a veces son muy difíciles. Y es que tal como sucede con los diamantes, que deben pasar por altas temperaturas para convertirse en dichas piedras preciosas, lo mismo ocurre con nosotros mismos.

Como mencioné con anterioridad, Dios es quien nos pone esas pruebas y obstáculos en nuestro camino, unas veces para superarlos, y otras para desviarnos de nuestra ruta y tomar nuevos rumbos. Sin embargo, ambos procesos (o ambos caminos) nos hacen ser mejores personas, pues nos fortalecen y logran que nuestro amor, fe y esperanza crezcan. Sin embargo, los diamantes en su interior guardan cicatrices que les dejó aquel proceso de transformación. Lo mismo sucede en nuestro caso.

Algo que me dejó este viaje o proceso fue poder descubrirme a mí misma, conocerme realmente, sanar mis heridas y volverme más fuerte y feliz. En el camino de luchar y vencer mi enfermedad, pude aumentar mi autoestima y la seguridad en mí misma mientras mis vacíos internos desaparecían. De la mano de Dios pude observar cómo mis miedos, mi depresión, mi soledad y mi agresividad se evaporaban por completo y yo renacía convertida en una nueva persona.

Reencontrándome conmigo misma

Es curioso y a la vez increíble cómo la anorexia consigue cegarnos y cambiarnos por completo la percepción de la realidad de nuestro cuerpo. Además de eso, ella nos hace sentir vacíos e inservibles por dentro. Queremos llenarnos de amor y atención, pero lo que conseguimos es un estómago, un cuerpo y un alma vacíos. Entonces comienza una lucha interna contra nosotros mismos. Y cuando queremos salir de ese torbellino, la lucha se incrementa.

Cuando inicié mi plan para superar la anorexia me enfrenté a mí misma muchas veces, a mi inseguridad, a mis miedos, a mis prejuicios. Las dos voces siempre estaban en constante guerra y me confundían sin cesar. Pero con voluntad y determinación pude seguir la voz de Dios, aquella que me levantaba cada mañana, que me decía que iba por buen camino, que era hermosa y que siempre caminaba de Su mano. Cuando quería rendirme y tirar todo por la borda, cuando la dicotomía y los sentimientos contrarios se apoderaban de mí y me volvían loca, Él estaba allí. Gracias a Él pude lograr cada línea del plan que había escrito y cada meta trazada para volver a ser una persona sana tanto física como mentalmente.

Así, esa solitaria chica que poco a poco se encerró en sí misma, marchitándose y alejándose cada vez más de su familia y amigos, floreció nuevamente. Ya sabía quién era, y eso era lo mejor de todo. Ese agotamiento y esa falta de energía que sentía siempre se convirtieron en fortaleza y esperanza, y gracias a ellos y a mi seguridad pude volver a correr en maratones. La verdad es que hoy en día no me explico cómo pude hacerlo durante dos años mientras estuve enferma. No sé de dónde saqué toda esa energía.

Lo cierto es que si yo no hubiera tomado la decisión y el impulso de salir de la anorexia, nunca hubiese conocido a personas maravillosas como el doctor Guillermo Navarrete y a mi esposo César, a quienes conocí en la conferencia de nutrición. Por una parte, el doctor Guillermo me dice hoy en día que al verme por primera vez una sensación de asombro y curiosidad lo invadió por completo, pues se preguntó una y otra vez cuál era el motivo o la situación por la que estaba pasando para yo estar así de delgada. Por otra parte, César fue un hombre muy inteligente porque primero me abordó como amigo. Sin embargo, él jamás me dijo algo de mi enfermedad, nunca me preguntó si yo estaba pasando por algo ni sacó ese tema a relucir.

El aprendizaje más valioso: después de la tormenta viene la calma

Tal como mencioné en capítulos anteriores, yo no creo en las casualidades, al contrario, pienso que todo está escrito. Las personas que conocemos, las circunstancias que vivimos, las lecciones que aprendemos, están allí por una razón: son experiencias por las que debemos pasar para crecer y mejorar como seres humanos. Ellas nos enseñan y dejan huellas en nosotros.

Para mí, las experiencias tristes y dolorosas que vivimos son las mejores, ya que ellas son las que nos tocan en lo más profundo de nuestro ser, las que nos vuelven más fuertes y nos hacen renacer, crecer, agradecer y conectarnos con Dios. Detrás de una circunstancia difícil, hay una bendición escondida.

En mi caso, haber experimentado el viaje hacia los infiernos de la anorexia me hizo ver la vida de una manera distinta, pues gracias a él me convertí en una nueva persona y salí más fortalecida que nunca. No solamente me cambió a mí, sino también a mis padres, quienes hoy en día están más unidos y felices que nunca. Asimismo, me permitió conectarme con Dios y conocer Su bondad y Su infinito Amor. Pude descubrir y reconocer mi propósito de vida, así como conocer a personas maravillosas en mi camino que me ayudaron a cambio de nada.

Y es que si no hubiese pasado por esta terrible enfermedad, no sería la Rosangélica que soy hoy en día, ni hubiese experimentado el inmenso Amor de Dios, de mi esposo y de mis padres, quienes me salvaron de caer más bajo. La gratitud que hoy siento hacia ellos es infinita. Creo que no me alcanzará la vida para agradecerles por estar conmigo en todo momento, por haberme acompañado con amor en esta tortuosa lucha y haberme ayudado a salir de la anorexia. Soy afortunada de la vida que tengo y hoy soy una mujer feliz que tiene el Amor de Dios, de su esposo, de sus dos hijas y de sus padres, quienes hoy en día están juntos y felices.

Este tormentoso viaje que comenzó siendo un abismo hacia el infierno, se convirtió en un viaje hacia mi interior, uno de autodescubrimiento. Sí, caí en lo más profundo del averno, y me quemé, pero resurgí de las cenizas como el majestuoso Ave Fénix. Me convertí en una nueva persona.

Gracias a este viaje me descubrí y me reconocí a mí misma, supe quién era yo y el poder que reside en mi interior para lograr cualquier cosa. Aprendí a quererme y a aceptarme tal como soy. También aprendí a hacerle caso a mi intuición y a escuchar a Dios, pues Él es quien me avisa cuál camino seguir, ya que no todos son los correctos. Algunos son muy peligrosos.

Ahora me cuido con una alimentación sana. Sin embargo, me doy permiso de comer lo que me provoca, sin eliminar ningún alimento. Así, cuando quiero un chocolate, me lo como tranquilamente y lo disfruto. Cuando estoy satisfecha, sé que debo parar y no comer más.

Con respecto al ejercicio, ahora realizo rutinas saludables. Entreno todos los días durante una hora y media, no más. Cuando llega la hora de detenerme, lo hago sin ningún problema, pues entiendo que mi cuerpo está cansado.

Por otra parte, ya no me *guardo* nada. Aprendí a abrirme con mi familia, mi esposo y amigos, a expresar lo que siento, lo que me sucede y lo que pasa por mi mente. Si tengo algún problema o inquietud, lo expreso para que me ayuden, y si algo que hacen no me gusta o me afecta, también se los digo.

Aprendí que a veces debo pedirles ayuda a ellos y, sobre todo, a los profesionales cuando tengo un problema o estoy pasando por una situación difícil. Ellos pueden ver cosas que yo no veo y me pueden dar respuestas correctas en el momento oportuno.

He aprendido a tener responsabilidad conmigo misma, con quienes me rodean y con mis propios actos y acciones. He aprendido a cuidar mi cuerpo y a cuidarme yo misma, porque si no lo hago yo nadie más lo hará. Y ahora sé que no debo lastimar sino cuidar con amor, sonrisas y alegría a quienes amo y me aman.

Los problemas ya no me afectan tanto como solían hacerlo. He aprendido a sobrellevarlos con calma y tranquilidad, a no verlos como el fin del mundo, a adoptar una postura objetiva ante ellos y a dejar de ser la víctima en algunas situaciones. Por otra parte, he aprendido a prevenirlos, a saber cuándo pueden llegar y a estudiar la forma de detenerlos y resolverlos.

He aprendido que la vida está llena de retos, los cuales debo enfrentar con optimismo y una sonrisa. También, que ella no es como uno la desea, sino como es, y no podemos cambiarla. Lo único que podemos hacer es buscar opciones para sentirnos mejor y sincronizarnos con lo que queremos. Debemos recordar que no siempre lo que queremos es lo mejor, sino lo que necesitamos.

Aprendí que mi destino lo dibujo yo, nadie más. Yo decido y trazo mi futuro. Soy la dueña de él. Todo está en mi mente; yo soy quien la maneja y la controla, no al revés. Por eso, mi futuro comienza hoy, y es ser feliz.

Foto cuando tenía anorexia

¿Pedido de auxilio o esquivar la realidad?

En el fondo, la anorexia solamente es un llamado de atención, es un grito de ayuda y un pedido de amor y cariño. Quienes la padecen tienen baja autoestima y no se sienten queridos por nadie. Además, sienten soledad y un enorme vacío en su interior. Por eso buscan llamar la atención de alguna manera para sentirse queridos y aceptados.

Asimismo, es una forma de escondernos y así evitar nuestras responsabilidades y problemas, una manera de refugiarnos en nosotros mismos y protegernos de la realidad en la que vivimos, y de situaciones dolorosas que nos da miedo enfrentar.

Y es que quienes padecen esta enfermedad prefieren sumergirse en la obsesión por ser cada vez más delgados y "hermosos" que preocuparse por sus verdaderos problemas y enfrentar la realidad, cuando la verdadera distorsión es el engordarse de todos ellos.

Esto sucede porque la persona con anorexia ha modificado sus temores básicos: enfrentar la realidad, soportar la crítica de los demás y desarrollar un rol de responsabilidad, cambiándolos por: "Si mi cuerpo es perfecto, voy a tener éxito". Por eso, para esa persona es muy difícil salir de su enfermedad, ya que está atrapada por sus propios pensamientos.

Cabe destacar que esas "ideas" o "pensamientos" nuevos que ahora tiene no son más que un engaño, ya que el deseo inicial de perder algunos kilos (o el miedo de ganarlos) se hace más fuerte conforme se adelgaza. Cuando observa que ha bajado cinco o seis kilos, descubre que aquel miedo por engordar sigue igual, y al ver que el número que marca la báscula es cada vez menor, siente una felicidad que no tiene comparación.

Entonces su obsesión por adelgazar se vuelve más y más fuerte hasta que llega a pesar apenas veinte kilos, convirtiéndose en huesos y piel. Lo peor de todo es que sigue insatisfecha con su peso. Dice (y siente) que se ve gorda y quiere seguir adelgazando. No le importa morirse ni le preocupa los riesgos que corre al adelgazar, porque es algo que la aleja de sus verdaderos problemas.

Por esta razón es que la anorexia es una enfermedad entre las más mortales del mundo. Si la persona no acepta que la tiene, es muy complicado que se cure. Y ese es el paso más difícil: aceptar la enfermedad.

No es fácil aceptar que ni tú ni tu familia están bien, que le estás haciendo daño, que hay cosas que te lastimaron mucho y que no querías ver. No es fácil aceptar tus responsabilidades, tus problemas y entender que tu vida no es perfecta. Comenzar a afrontar tu realidad es la parte más difícil. No solo es cuestión de comida. Es cuestión de enfrentarte contigo mismo, de luchar con tu mente y con tus pensamientos, de salir de esa burbuja en la que te encuentras sumergido.

Por otra parte, hay jóvenes (sobre todo chicas) que se curan y vuelven a recaer porque piensan que es muy lindo darse un atracón, vomitar y seguir delgadas. Pero no lo es, para nada. Hay mucho dolor detrás de todo eso.

Aceptar la enfermedad

Ante las situaciones adversas de la vida, las personas actúan de diferentes formas. Algunas mantienen el optimismo y enfrentan sus problemas con una sonrisa, mientras que a otros los dominan las emociones negativas, como la ira, el miedo, la tristeza, el estrés o la ansiedad. Este último grupo de personas es más propenso a padecer enfermedades, pues las emociones negativas yacen ligadas a ellas. Por otra parte, está comprobado que el estómago está conectado a nuestras emociones.

Por ello, cuando sentimos emociones muy intensas, como la ira, la tristeza (o depresión) o la ansiedad, nuestro estómago se resiente, se irrita o se "cierra" y no acepta la comida. Por ello, una de las enfermedades que pueden padecer las personas que tienen cargas emocionales negativas muy fuertes, es la anorexia, ya que esta enfermedad es una respuesta negativa a problemas emocionales que nos desbordan y para los cuales no tenemos respuestas resilientes.

Ante este caso, lo importante es buscar ayuda para superar la enfermedad, no quedarse callado ni esconderse. Hay que aceptar que a veces no podemos con todo, que no somos autosuficientes, que quizá no podemos controlar nuestras emociones ni mucho menos la obsesión por la comida y el ejercicio. Hay que aceptar que estamos enfermos y que no estamos bien con nosotros mismos. Ese será el primer paso para superar la enfermedad. Solo así podremos salir de ella.

Además de eso, hay que tener mucha fuerza de voluntad. Debemos ser capaces de desplegarla para hacerle frente a la anorexia. Eso es vital para ganar la batalla. Por otra parte, hay que tener siempre presente que la solución está en nosotros y no en los otros. Tenemos que reconocer que en nosotros está el mayor potencial de respuesta. También, que somos nosotros los únicos que podemos salir de la enfermedad. Si no nos ayudamos nosotros mismos, nadie más lo hará.

Hacernos preguntas poderosas y escuchar nuestra voz interior sin duda influye en el entendimiento de las causas y consecuencias de la anorexia y, por ende, incide en que encontremos alternativas viables para su solución.

El renacer

Y llega el día, ese instante en el que sientes que has cambiado para siempre y para bien. Hubo batallas que te enseñaron que para seguir adelante se requiere un sacrificio, ya sea que te sacrifiques a ti misma para resurgir de las cenizas y convertirte en una nueva versión de ti misma, o que simplemente sacrifiques a personas o cosas que ya no aportan nada a tu vida, para así llegar hacia tu mejor versión. Sin embargo, no es tan fácil, pues al darte cuenta de todo lo que sacrificaste para ser lo que eres hoy, observas que hay cambios que son irreversibles, momentos que no volverán y días grises que quedaron atrás, en tu baúl de recuerdos enviados al olvido.

Yo tengo mi propio baúl de confesiones, justo ahí, en el rinconcito oscuro de mi alma. En él yace el infinito de mis sentimientos, en él están todos los momentos que he vivido, algunos tan buenos que se han convertido en inolvidables e inmortales, otros malos y algunos que llegan a ser realmente horribles. En él he dejado un mar de lágrimas, también un cielo de sonrisas, algunas nubes grises y unos caminos tan negros que nadie quisiera recorrer.

Desde que nacemos nos hallamos en una búsqueda constante. Desde que venimos a la vida necesitamos algo siempre, así como el inmenso cielo, que siempre necesita esa nube, o como quien necesita una pisca de desastre debajo de sí para poder crecer, o como un barco buscando su rumbo, o un náufrago sin destino específico... Tal como ellos, nos hallamos nosotros, sin norte, sin brújula. Hasta que llega el día en el que alguien se convierte en nuestra brújula y nos muestra el curso que necesitamos para tocar tierra.

Por mi parte, yo he tenido más de una brújula en mi vida. Mi familia sin duda es una brújula que me ha dado más de lo que he pedido, más de lo que he pensado, más de lo que creí merecer. Sin embargo, llegó el día en el que me alejé de esa brújula y la arrojé al río. Entonces todo se oscureció y me sumergí en un mar tenebroso, turbio, lleno de obstáculos; nadé y nadé hasta llegar a tierra. Una vez allí pude escribir estas líneas llenas de mí, llenas de un pasado que dio forma a la persona que soy hoy, uno que siempre me recuerda a dónde no debo volver jamás.

Quiero que sepas que mientras estuve enferma muchos pensamientos visitaron mi mente, unos más hostiles que otros, pensamientos oscuros, de los cuales me arrepiento. En varias ocasiones pensé en quitarme la vida, me traté muy mal, me fallé en ciertas ocasiones. Sin embargo, poco a poco fui encontrando la forma de seguir adelante y empezar a quererme de nuevo, así como la manera de hallar la luz al final del túnel y reinventarme al darme cuenta de todo lo que tenía. Así pude curarme, siendo consciente de todo lo bello que tenía en mi vida. Y es que nosotros pensamos que las enfermedades son solo físicas. Pero la verdad es que ellas son más mentales de lo que pueden parecer.

Existen personas enfermas que se mantienen mentalmente tan positivas que se curan; esa es su medicina. Asimismo, el entorno influye mucho en la enfermedad, así como las personas que rodean al enfermo y el apoyo que este recibe. En mi caso, recibí muchísimo apoyo, ayuda y amor, y esas personas que me lo brindaron hoy son mi mundo. Quisiera que al igual que yo recibí ayuda, las personas que están pasando por alguna enfermedad severa, como la anorexia, el cáncer o cualquier otra, adopten una mentalidad positiva en todo momento, pues eso las puede salvar. Las sonrisas en medio del vacío pueden no significar mucho, pues en esos momentos de oscuridad no se sienten ganas de sonreír. Sin embargo, nuestro cerebro es maravilloso y capta todas nuestras emociones y estímulos.

He conocido historias de personas con cáncer que se han curado, y ser positivo mentalmente influye mucho más en una enfermedad que cualquier medicina. El organismo de alguna manera se recupera con la percepción que tengamos mentalmente de la situación. Por ello, quiero decirte que ser positivo y no rendirse es una medicina y uno de los mejores regalos que puedes brindarte a ti misma.

Hoy soy el lienzo viviente de que cuando se quiere, se puede. Estuve al borde de la muerte varias veces y heme aquí. Soy sobreviviente de esas batallas que muchos tenemos; cada quien es un soldado en la vida, de una manera cotidiana, y el frente de batalla es el día a día. Te aseguro que no existe guerra que se pierda, solamente existen experiencias que nos hacen aprender y nos enseñan estrategias para guiar a quienes van a empezar su batalla.

Puedo decirte que la vida es fácil, que el éxito es sencillo, que las pruebas son juegos y que las montañas no se mueven, pero si te digo eso te estaría mintiendo y no sería justa contigo. La verdad es que la vida no es fácil, tampoco es justa, es solo un laberinto lleno de trampas que nos enseñará que sangrar es parte del camino, que no llegaremos a la meta sin antes tropezar lo suficiente hasta rasparnos las rodillas y estar orgullosos de las cicatrices que nos dejó la experiencia; que el éxito es una calle de doble vía, pues existe el éxito mental y el éxito cotidiano. Puede que logres algo y digas "Soy exitoso", luego te detengas allí y hagas de ese éxito tu único logro en la vida. Sin embargo, existe el éxito mental, ese que es constante y que no se detiene con logros pequeños o grandes, pues este éxito es la actitud que nos muestra con el tiempo que seguir luchando es nuestro único camino a la libertad y a ser recordados, a dejar nuestra huella en este mundo y a no pasar desapercibidos. Sin duda alguna, el éxito mental deja sus huellas.

Las pruebas que la vida nos presentará, sin duda, no serán un juego; la vida de por sí no lo es. Si no reaccionamos a tiempo puede que esas pruebas nos dejen secuelas que lamentaremos toda la vida, lo digo por experiencia propia. Algunas personas piensan que rendirse es lo más natural al enfrentarse a una situación difícil, decir el típico: "No quiero", "No puedo", "No debo", "No esto", "No aquello". Ese es el cáncer más peligroso que puede existir, es esa enfermedad que no nos mata físicamente pero que emocional y mentalmente nos destruye y nos hace inútiles para el día de mañana y, con ello, el crecimiento personal queda limitado por completo.

Por ello, hoy quiero impulsarte a que te atrevas a tomar cada prueba que se te presente con la actitud que se debe, con los pies sobre la tierra, para que, una vez que la superes, puedas decir "lo logré" el día de mañana. Existen montañas que sí pueden moverse, por ejemplo, esas que movemos cuando estamos enamorados para ver a la persona que hace que nuestros ojos brillen con tal sólo mencionar su nombre, esas que movemos para sacrificar alguna cosa y así sacar tiempo para ese algo o alguien. Existen montañas que sí se mueven; todo es mental, el infinito es mental, el "imposible" es mental, el "para siempre" es mental, el amor es inmortal, y sí, el amor nos hace mover montañas.

Sobre esto, lo que más me hace feliz hoy en día es tener a mis hijas; ellas son mi fuerza, mi faro, mi luz, ellas me motivan a ser una guerrera incansable sin importar las batallas que se puedan presentar en el camino. El amor de madre es infinito, no puede ser expresado con palabras, solo con hechos; puede ser descifrado con una mirada o simplemente con una lágrima de felicidad cuando una de mis hijas sonríe.

El camino que tuve que transitar para llegar a ellas fue largo, las pruebas me dejaron sus huellas marcadas en mi piel, el Cielo me vio caer y levantarme, y Dios nunca me abandonó. Hoy estoy agradecida por tanto, y siento que, a pesar de escribir todo esto, he dado tan poco comparado con lo mucho que quisiera decir... Pero poco a poco, día a día, toda mi vida la dedicaré a agradecerle a Dios por darme una vez más la oportunidad de vivir para dar lo mejor de mí. Lo juro.

Carta a la anorexia

Anorexia:

Me robaste un año y medio de mi vida. Robado, porque ese año jamás lo volveré a vivir. Un año y medio en el que viví aislada en un reino de oscuridad y llanto. Un año siendo esclava de ti. Un año en el que los protagonistas fueron los desmayos, el internado hospitalario, la depresión y la soledad. Un año en el que no compartí con mis padres porque me alejé de ellos por estar contigo, un año en el que nadie quería estar conmigo por lo insoportable que era y en el que ocupé mi mente durante todo el día hasta la noche en contar las calorías de todo lo que me comía. Un año en el que la tristeza fue mi brújula...

Hoy, después de cinco años de superarte, puedo decirte que sí estoy viviendo. Hoy soy la mujer que siempre he querido ser, una mujer segura de sí, una mujer que está logrando sus sueños, una mujer que salió adelante a pesar de todas las adversidades. Hoy soy una mujer inmensamente feliz y agradecida. Hoy disfruto de mi familia, de mis hijas, de una buena comida, de un chocolate con mis niñas y de un buen café con leche que tanto me gusta.

Hoy quiero darte las gracias, anorexia, porque me has motivado a ayudar a muchas mujeres y niñas que se sienten deprimidas, tristes y con ganas de no seguir viviendo. ¡Gracias por darme la oportunidad de ayudarlas!

Me enseñaste tanto, y agradezco haberte tenido, ya que hoy en día valoro mi vida, mi cuerpo, me amo y me respeto. Me enseñaste a tener control de mis pensamientos, a ser consciente. Gracias a ti aprendí que mi cuerpo es mi templo, y que este es el lugar que Dios me dio, donde vivo todos los días, y debo cuidarlo.

De algo estoy muy segura, y es que jamás volveré a caer en ti, ni a tocarte. No eres el lugar en el que quiero estar. Te agradezco por lo que hiciste por mí y cierro tu capítulo en mi vida. Aprendí lo que debías enseñarme, pero ya no te necesito. Por eso, hoy te digo: Adiós, anorexia. No nos volveremos a ver jamás.

Eres lo más valioso de ti

Te quiero confesar algo:

Durante mucho tiempo me sentí sola, no disfrutaba estar conmigo mis- ma, me sentía vacía, sentía que nadie me quería, que la muerte era el único lugar donde tenía que estar. Así eran mis pensamientos. Quitarme la vida acabaría con todo mi dolor, con mi sufrimiento y, sobre todo, con mis

> *tristezas. Tenía mucho dolor guardado y jamás lo expresé. Así, encadené mi corazón y poco a poco me fui volviendo fría, no creía en nada, y decía que hasta Dios se había olvidado de mí. Ya nada me importaba, ¡ni siquiera mi vida!*

Hoy, después de cinco años de haber superado mi enfermedad y mu- chas cosas en mi vida, te puedo decir que jamás había sentido tantas ganas de vivir, no había conocido un amor tan hermoso como el de Dios, un amor de verdad, ese amor que te levanta, ese amor incondi- cional. Me di cuenta de que tenía tanta gente alrededor que me quería, tanta gente a la que le importaba. Hoy soy una mujer feliz, y la felici- dad me rodea todos los días de mi vida, porque me di cuenta de que la felicidad es vivir, levantarme todos los días y respirar, sonreír con las pequeñas cosas, verme en el espejo y darme cuenta de que estoy sana, de que soy una mujer completa. Eso me llena de alegría. Llegar a mi casa, ver a mis hijas y a mi esposo y estar juntos es maravilloso. Entonces digo que todo esto lo hizo Dios, porque solo Él sabe cuánto anhelé tener esto que tengo hoy en día: ¡mi familia!

Por ello quiero decirte algo: a pesar de la oscuridad que estás vivien- do hoy, vendrá la luz a tu vida, vendrá esa lluvia que te hará florecer, ese día gris se irá y vendrá un nuevo amanecer. Si estás pasando por un momento difícil en tu vida, déjame decirte que no estás sola. Dios no te dejará por ningún motivo y tampoco se olvidará de ti. Aunque no veas una respuesta a tu pregunta, Él te dará una solución, te responderá así como lo hizo conmigo, porque Él te ama, Él tiene su manera misteriosa de actuar. Solamente te puedo decir que confíes y sigas creyendo, pues Él te sorprenderá. Eres la niña de sus ojos, y te cuida como a nadie.

Durante mi enfermedad, yo dejé de creer en todo, hasta en Dios. No conseguía respuestas, le hacía tantas preguntas y lo cuestionaba: "¿Por qué me pasa esto a mí?"; "¿Por qué permites que me pasen tantas cosas a la vez?"; "¿Por qué nunca me respondes?"; "No creo en ti"... Hasta que no aguanté más y le pedí con todas mis fuerzas, abrí mi corazón de verdad, y fue cuando por primera vez lo sentí en mi corazón. Sentí su abrazo, lo vi, y me decía: "No te dejaré". Entonces mis esperanzas renacieron, volví a creer, volví a tener fe.

Hoy en día Él es todo para mí. Él me salvó de mi enfermedad, de mi depresión, de mi soledad, me secó mis lágrimas y limpió mi corazón. Por ello te digo que confíes, pues esos momentos tan difíciles que estás viviendo hoy, pronto se terminarás, pues ¡Él te responderá!

Por mi parte, quiero ayudarte a salir de la anorexia, de la depre- sión, de vivir una vida que no quieres vivir, pero recuerda que sola- mente tú tomas la decisión de salir adelante. Nadie más lo hará por ti. Por eso, debes recordar que el cambio comienza en ti misma, y que solamente tú tienes la llave de tu destino. Anímate a comenzar el viaje de la mano de Dios y de quienes te aman. Al terminarlo, serás una persona totalmente distinta de quien eras cuando lo comenzaste.

¿Te atreves a iniciar el viaje para salir de la anorexia y redescubrirte?

ACERCA DEL AUTOR

Más allá del espejo, es el testimonio en primera persona de Rosangélica Medina, quien con voluntad propia y bajo la firme decisión de salir adelante, venció la anorexia nerviosa.

Durante sus años de adolescencia vivió una serie de eventos dra- máticos que, junto a una fuerte crisis familiar, la arrastraron a un des- equilibrio de emociones. Para llenar el vacío que sentía, Rosangélica abrió las puertas a la enfermedad.

El ejercicio físico desmedido, acompañado de una dieta pobre y el uso de pastillas e inyecciones para adelgazar, fueron consumiéndola hasta llevarla prácticamente al borde de la muerte.

Un día, estando completamente desnuda frente a un gran espejo que tenía en su habitación, al enfrentarse a la imagen que reflejaba sus apenas 32 kilos de peso, tomó la decisión personal de salir adelante y vencer los fantasmas de su enfermedad. Aquel instante frente al espejo le reveló la presencia de Dios, impulsándola a emprender una batalla personal que terminó con su completa recuperación.

Esta es la historia del largo camino recorrido por una mujer joven para recuperar su salud física, mental y espiritual. Un camino lleno de aprendizajes que quiere compartir, con la convicción de que todas las mujeres del mundo tienen un propósito maravilloso para descubrir y alcanzar.

Made in the USA
Columbia, SC
23 August 2019